C000201463

Cydio mewn Cwilsyn

Rhiannon Davies Jones

Gwasg
Gwynedd

Argraffiad Cyntaf — Tachwedd 2002

ISBN 0 86074 189 3

*Cyhoeddwyd ac Argraffwyd
gan Wasg Gwynedd, Caernarfon*

CYNNWYS

Cyflwyniad

> Mi wn fod rhywle'n dy galon
>   Ddarlun o'r bardd ar ei hynt,
> A bod ynghudd yn dy enaid
>   Wreichionen o'r goelcerth gynt.
> Pan losgo'r hwyr yn y fflamau
>   A'r pentan yn sglein ar dy rudd,
> Bydd ewig yn rhydio'r aberoedd
>   A ffrydiau yr argae yn rhydd...
>
> Mae pethau nad ânt yn angof
>   A sêr na ddiffydd o'r nen...

Dyna brofiad y bardd, Roland Jones, 'Rolant o Fôn', yn ei gerdd 'Y Gyfrinach'. A dyna'r geiriau a ddaeth i'm meddwl innau wrth ysgrifennu'r cyflwyniad hwn i gyfrol ddiweddaraf Rhiannon Davies Jones. 'Mae pethau nad ânt yn angof...' Cofio'r bore o wanwyn cynnar ym mwthyn Gwernyfed ar lan y Fenai yn y flwyddyn 2001; esgyrn eira ar fynyddoedd Eryri a'r haul cynnes yn treiddio trwy'r ffenestr; Rhiannon yn eistedd yn ei chadair yn un pen i'r ystafell a minnau'n gwrando mewn rhyfeddod ar sgwrs afieithus y cyfarwydd o Fôn.

Gwrando – a llawenhau. Wedi'r bwlch hir, dychwelodd yr hen awydd i sgrifennu. Mae 'ffrydiau yr argae yn rhydd' a gwireddwyd dymuniad tebyg i'r un a fynegwyd mor ddwys gan Elfyn yn ei englyn:

> Er y curo a'r corwynt, – er y niwl,
>   Er y nos ar f'emrynt,
> Hyderaf y caf fel cynt
> Weld yr haul wedi'r helynt.

Daw i gof hefyd eiriau agoriadol yr awdur yn ei chyfrol odidog, *Fy Hen Lyfr Cownt*, dyddiadur dychmygol Ann

Griffiths, y ferch o Ddolwar Fach: 'Ni fu gennyf lawer o awch at ysgrifennu hyd heddiw, ond rhaid imi ysgrifennu neu fygu'. A chofio, yr un modd, eiriau (o Tseina yn wreiddiol, medd rhai), a glywais gyntaf gan gyfarwydd arall o Ynys Môn, Siân Williams, Ty'n-y-gongl, ger Benllech (awdur *Ebra Nhw* a *Mat Racs*): 'Cadw frigyn ir yn dy galon ac fe ddaw'r adar yn ôl i ganu'. A dyna yw'r gyfrol newydd hon: cyfrol i ddathlu clywed unwaith eto gân adar ar frigyn ir. Wedi'r blynyddoedd rhwystredig a'r llygaid yn pylu, cyfrol i gydnabod rhin pelydrau'r haul – gwyrth 'y golau clir yn y ffenest yn gynnar yn y bore' a fu'n fodd i'r awdur ail-afael yn ei hysgrifbin.

Braint arbennig i mi yw cael ysgrifennu'r cyflwyniad hwn. Pe gofynnid i mi ddisgrifio mewn un frawddeg yr awdures o Ardudwy, dyma fyddai'r frawddeg honno: 'Bardd o lenor teimladwy sy'n meddu ar ddawn brin i ail-greu hanes yn fyw o flaen ein llygaid'. Nid pwrpas hyn o eiriau yw manylu ar ei chyfraniad llenyddol eithriadol o bwysig, caiff eraill wneud hynny, ond fe garwn ddweud gymaint â hyn, a chyfarch yn arbennig gomisiynwyr a chynhyrchwyr teledu: y mae cyfle ardderchog i gyflwyno'i nofelau hanes drwy gyfrwng cyfres o ffilmiau. Wedi'r apêl yna, tair neges yn syml sydd gennyf i. Yn gyntaf, ar ran holl edmygwyr Rhiannon Davies Jones, i ddiolch o galon iddi am y pleser digymysg y mae hi drwy ei chyfrolau wedi'i roi i gymaint ohonom ar hyd y blynyddoedd. Yn ail, i ddiolch yr un mor ddiffuant iddi am wrando ar anogaeth ei chyfeillion agos a chytuno i gyhoeddi'r gyfrol newydd hon. Ac, yn olaf, ar ran yr holl ddarllenwyr a'i chydnabod, i ddymuno iddi flynyddoedd eto o iechyd, awydd i barhau i sgrifennu, a phob llawenydd a bendith.

> I ddawnus un eiddunaf – ogoniant
>   Y gwanwyn tyneraf;
> Rhin yr awel dawelaf
> A gwynfyd yr hyfryd haf.

ROBIN GWYNDAF

DIOLCHIADAU

Fy niolchiadau cynnes i'r canlynol:

Miss Wendy Davies am ei gwasanaeth yn teipio rhan helaethaf fy llawysgrif dros gyfnod o fisoedd yn 2001. Heb ei hymrwymiad hi ni fyddai'r gwaith hwn wedi gweld golau dydd.

Y Dr Robin Gwyndaf am ysgrifennu'r Cyflwyniad.

Yr Athro Gruffydd Aled Williams am y wybodaeth amhrisiadwy a gefais o'r gyfrol *Edmwnd Prys ac Ardudwy*.

Miss Lilian Hughes am ei chefnogaeth gyson a'i pharod-rwydd i drafod, ac am gyflwyno'r gyfrol yn ei chyd-destun ar y clawr ôl.

Mrs Mona Williams am ei diddordeb a'i chyfeiriadaeth werthfawr.

Mrs Ann Dunt Jones am gymorth wrth law gydol yr amser.

Miss Eleri Wyn Jones am deipio adran o'r llawysgrif.

Archifdy Gwynedd am gael defnyddio rhan o fap *Speed*, 1610.

Y Br Dafydd Gruffydd Ifan am lunio'r map o Ardudwy.

Radio Cymru am ganiatâd i gynnwys rhannau o *Dylanwadau* a ddarlledwyd Gorffennaf 1995.

Golygydd *Seren Cymru* am gael cynnwys dwy ysgrif, 'Yr Eiliadau Prin' a 'Llechollwyn', a gyhoeddwyd ym mis Mai 2001.

Y ffotograffydd, y Br Dave Newbould, am ganiatâd i ddefnyddio'r llun 'Pensarn a'r Rhinogydd', ac am ei lun trawiadol i'r clawr.

Gwasg Gwynedd am eu gwaith glân a threfnus dros y blynyddoedd.

GAIR O BROFIAD

Bore yn nechrau Ionawr 2001 oedd hi pan ddigwyddodd y Rhywbeth hwnnw na allaf ond ei alw yn Wyrth, a hyn yn dilyn cyfnod o hiraeth a gwacter dros ŵyl y Nadolig. Chlywais i mo'r Llais ond fe ddaeth y Neges mewn dull syml a chynnes, a dyma hi: 'Isio i ti drio sgwennu eto.'

Dyma'r peth olaf oedd yn fy meddwl gan fod yn agos i ddegawd wedi mynd heibio er pan fûm yn cyfansoddi. Doeddwn i ddim wedi medru darllen llyfr ychwaith ers ychwaneg na chwe blynedd oherwydd gwendid yn y golwg.

Digwyddai bod haul yn y ffenest y bore hwnnw a dyma geisio rhoi gair ar bapur heb syniad yn y byd i ble yr awn.

> Fel y mae oedran yn cerdded ymlaen a'r golwg yn gwanhau... rhaid yw dal ar yr eiliadau prin cyn iddynt ddiflannu'n llwyr...
>
> (o'm hysgrif *Yr Eiliadau Prin*)

Cael wedyn bod y Cof yn carlamu ymlaen i'r fath raddau fel na allai'r beiro druan ddal i fyny ag o – neu efallai mai'r gair *cwilsyn* a fyddai'n fwy addas yn y cyswllt hwn!

Cyd-ddigwyddiad ymhen peth amser oedd i'r Dr Robin Gwyndaf alw heibio – gŵr nad oeddwn wedi'i weld ers llawer blwyddyn. A'i neges? Ie. F'argymell i ail afael mewn ysgrifennu. Fel yr oedd y gwanwyn yn mynd ymlaen ceisio dal wedyn ar y golau clir yn y ffenest yn gynnar yn y bore. Bryd hynny daeth fy ffrindiau i'r adwy, yn teipio fy llawysgrif damed wrth damed ac yn darllen imi o ffynonellau yn ôl fel y byddai'r galw. Am gyfnod o fisoedd cefais ail fyw cyfnod fy magwraeth yn Ardudwy a chael tramwyo, yn fy nychymyg, y llwybrau y bu gwŷr-llên yr ardal yn cerdded hyd-ddynt yn niwedd yr Oesoedd Canol. Drwy drugaredd roedd nifer ohonynt yn dal yn fyw yn union ar ddechrau'r ail ganrif ar bymtheg!

Peth pleserus unwaith eto oedd dod i'r afael â'r Gymraeg a

sylweddoli y fath gyfoeth o iaith sydd gennym. Wrth gofio'r profiad arbennig a gefais yn nechrau mis Ionawr ni allaf ond credu bod rhyw Ymyrraeth o'r tu-hwnt yn ein gwarchod ar rai amserau prin yn ein bywyd.

CYDIO MEWN CWILSYN

DYDDIADUR DYCHMYGOL
ELIZABETH PRYS

(merch-yng-nghyfraith
Yr Archddiacon Edmwnd Prys)

PART OF CARNARVAN SHIRE

Llogwy fl.

⚜ Bethkelert

Festi:
nog

Druyd flu.

Cwuel flu

Penmoruay

Llanwrothen

Maynhurog

Velenryd flu.

ARDYDWY

Trawffynydh

Derye flu

Kenha
Etr Chate

Llynteckoyn

Traeth Mawr

Llandeksvyn

Trath icha

Llyule Eithaye

Llanyhangellytrathe

Llyn Ycombe

HUND.

Harlech

THE

Kiffnyn flu.

S'anbodir flu

Llandanog

Llanumer

Llanbsder

Artro flu

MERI
ONETH
SHIRE
Described
1610

Corsegeddgl

Llanenthowin

Skethyc flu

Llanyl
yd

Llanthoyway

Tbigum flu

Llanaber

Barmouth

TALYBONT

IRISH

SEA

Desunny flu

Llyngoril flu

Llanvhangle
Apeinant

Llangilynyn

HUN.

Castell Thchery

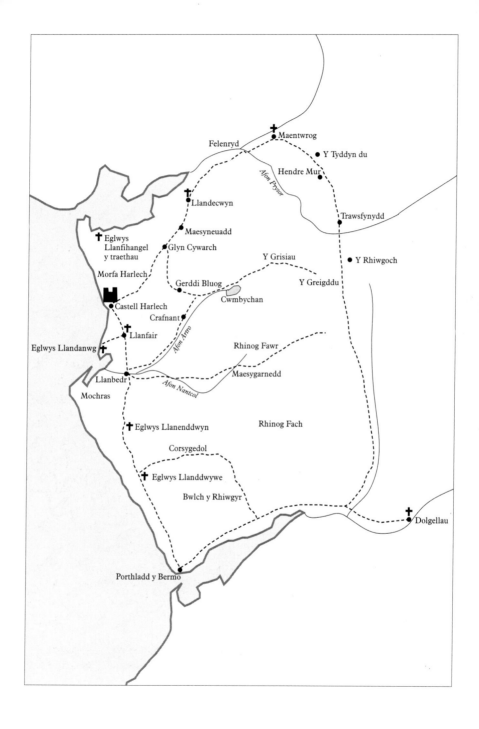

Maentwrog

Felenryd

Y Tyddyn du

Hendre Mur

Afon Prysor

Llandecwyn

Trawsfynydd

Maesyneuadd

Eglwys
Llanfihangel
y traethau

Glyn Cywarch

Y Grisiau

Y Rhiwgoch

Morfa Harlech

Gerddi Bluog

Y Greigddu

Cwmbychan

Castell Harlech

Crafnant

Afon Artro

Rhinog Fawr

Llanfair

Eglwys Llandanwg

Llanbedr

Afon Nantcol

Maesygarnedd

Mochras

Rhinog Fach

Eglwys Llanenddwyn

Corsygedol

Eglwys Llanddwywe

Bwlch y Rhiwgyr

Dolgellau

Porthladd y Bermo

Mae'r brenin, Iago'r Cyntaf yn dal i fod ar orsedd Lloegr ac mae o'n mynd yn hen fel yr Archddiacon, a fedar yr olaf mo'i oddef o. Dyn y Tuduriaid ydy Taid Prys ac yr oedd o'n meddwl bod yr haul yn codi ar yr hen Frenhines Elisabeth. Mi fydd Taid yma gyda hyn ac mi fydd angen cael y Gerddi mewn trefn. Mi ordrais Jennet y forwyn ganol yma i osod padell boeth yn ei wely o ac i roi darn o gynfas galed amdani rhag i'r plu fynd ar dân. Fuo'r Archddiacon ddim yma er yr hydref, adeg Diolchgarwch yn eglwys Llanddwywe a fu neb yn cysgu yn ei wely o er hynny. Llofft yr Archddiacon ydy hon bellach ac mae o fel tase fo'n hawlio'r lle. Mae yma bentyrrau o hen femrynau a llyfrau'r Eglwys wedi eu gadael yma erbyn y bydd o'n cynnal gwasanaeth yn Eglwys Llanenddwyn yn y Dyffryn. Mae o'n rhyw fath o offeiriad-o-bell yn y fan honno ac yn cael tâl am ddim meddai ei elynion. Ond waeth beth ddwedan nhw, mae'r plwyfolion yn hanner addoli'r Archddiacon. Mi fydd o'n aros yma am rai dyddiau pan ddaw o ar ei rawd ac mi fydd y bobol yn hel i'r eglwysi o Lanenddwyn i Landanwg i ymarfer ei Salmau Cân o. Mi gaiff yr hen fardd Sion Phylip, Mochras esgus i gael ffrae-farddonol efo fo. Mae'r ddau yn oedrannus a bardd Mochras yn hawlio mai fo ydy'r hynaf o ychydig fisoedd. Mi welis eu cau nhw i mewn yn y Llofft yma am rai oriau efo tipyn o gwrw cartre a thafell o fara a chaws yn trafod yr Awen a phethau dyrys felly. Yng ngŵydd gwlad y bydd y ddau yn ymrafael yn yr ymrysonau gwyllt yma yn awr ac yn y man. Mae gan Taid ei dancer cwrw ei hun wedi i lanc clyfar o'r Dyffryn sgithro ei enw fo i mewn i'r piwtar.

Mi fydda i wrth fy modd yn sgwennu tase gen i amser i hynny. Yng nghysgod y bechgyn mi gefais ysgol dda gan

'Ffeiriad Llanfihangel i lawr y ffordd ers talwm yng Nglyn Cywarch.

Un diwrnod mi drawodd Taid Prys ei olwg ar lechen las yr oeddwn i wedi bod yn sgwennu i lawr arni fanylion y tâl efo crwyn yr anifeiliaid yn y Tanws. Mae gen i well 'pen' at fusnes felly na Morgan y gŵr. Cydiodd Taid yn bur smala yn y lechen las. Dyn memrwn a phin sgwennu oedd o! Meddai yn y man, gydag ymffrost y gŵr mawr yn ei lais:

'Lisa ! Mae gen ti dalent at ysgrifennu'. Saib wedyn. 'Peth anghyffredin mewn merch... ond yr wyt ti'n ferch i'r boneddwr Robert ap Edward, Maesyneuadd ac o hiliogaeth dda.'

'Ac o hiliogaeth uwch na chi, Taid Prys,' meddyliais, 'hiliogaeth gwŷr y plasau.'

Ond doedd Taid ddim wedi gorffen eto ac meddai:

'Fe arbedai i wraig y Gerddi Bluog boeri ar recsyn i lanhau'r lechen las pe rhown iti fwndel o femrynau glân a ges i o Lys yr Esgob.'

Dyn ymffrostgar ydy o a gallwn fod wedi'i ysgwyd yn y fan a'r lle. Ond Ow! Mae o'n ddyn mor fawr o gorff! Mynnodd rhywun y bydd angen arch anarferol o faint ar adeg claddu yr Archddiacon! Ond na! Mae Taid Prys a minnau yn ffrindiau da yn y bôn a'r diwrnod hwnnw fe wneuthum addewid yr awn i Lofft yr Archddiacon i lanw'r memrynau sbâr bob cyfle a gawn.

Pan briodwyd Morgan a minnau bymtheng mlynedd yn ôl bellach, gwnaed Cytundeb rhwng Nhad, Robert ap Edward ap Hwmffre a'r Archddiacon y byddem yn dod i fyw i'r Gerddi Bluog. Roeddem hefyd i ddal tir ar Forfa Harlech a dyna gyfle i minnau roi tro yn awr ac yn y man i'r hen ardal. Taid Prys a gynllwyniodd y cwbl oblegid mae o'n cyfreithio byth a hefyd. Yn ddistaw bach byddaf yn credu bod ar Morgan y gŵr yma beth o ofn ei dad!

Ond dyna'r cloc mawr yn taro deuddeg – y cloc a roes Taid yn bresant i Morgan a minnau ar ein priodas – a rhaid imi fynd. Caf ddychwelyd yma eto i awyrgylch y memrwn, y cwilsyn a'r inc, ac i ganol darnau o Ysgrythur Lân William Tymawr fel y bydd Taid yn cyfeirio at ddyn y Beibl newydd.

Bu tymor y Grawys yn un mor hir a'r eira wedi cau'r

Rhinogydd fel caead arch. Bydd yr hirlwm drosodd gyda hyn a bydd yn dda cael mynd i'r gwaelodion unwaith eto a chael cip ar Gastell Harlech.

Dydd Gwener y Groglith 1617

Dianc i'r Llofft wnes i, i drio dal ar y golau cyn iddi nosi. Unwaith y daw Dydd Gwener y Groglith mi fydda i yn leicio dal ar y tawelwch dros y tridiau hyn, ac y mae o i'w gael yn y stafell yma. Mae cael Beibl William Tymawr ar y bwrdd wrth f'ochr a memrynau o Salmau Cân Taid Prys, yn union fel tae rhywun mewn Eglwys. Dim ond ar adeg y Gwyliau Eglwysig y medrwn ni fynd i'r Gwasanaeth oherwydd bod y Gerddi ymhell o eglwys y plwy yn Llanfair. Mi fedren ni fynd bob bore Sul o Faesyneuadd i Eglwys Llanfihangel, a chymryd bod y Cloddiau Llanw yn cadw'r dŵr oddi ar ffyrdd yr Ynys. Fodd bynnag mae hi'n ddeddf y Mediaid a'r Persiaid bod teulu'r Archddiacon yn llanw dwy sedd y Gerddi yn Eglwys Fair, yn Llanfair adeg y Pasg.

Mewn da bryd, yr oeddem ni, y ddwy forwyn a'r ddau was yn barod i gychwyn yn y ddau gerbyd a'r ddwy ferlen wedi hen gydnabod â phob tro yn y siwrnai. Fel arfer doedd dim symud o'i chornel ar Marged yr hen forwyn. Yn saith-a-thrigain mlwydd oed ac yn diodde o'r crydcymalau a'r tywyllwch yn ei llygaid. Yma y bydd hi bellach nes y byddwn ni yn ei hebrwng i lawr i fynwent Llambad. Deuddeg oed oedd hi pan ddaeth i'r Gerddi gyntaf ac yma yr arhosodd efo sawl cenhedlaeth o deulu. Mae Marged yn nabod pob trofa hefyd yn y ffordd sy'n dilyn Afon Artro i'r môr ger Mochras. Pan ddychwelson ni adre wedi hen flino wrth ddringo'r rhiwiau, dyna lle'r oedd Marged a Guto yr hen was yn hanner slwmbran yn eu corneli o gylch simnai fawr y gegin. Mudan efo pobol a fu Guto erioed ond fe siaradai efo anifail fel siarad efo plentyn. Yn ei ddiod byddai'n rhegi ei Dduw, ac yn ôl Morgan, dyna'r nesaf y daeth at yr Eglwys erioed.

Ond yn ôl at y bore. Unwaith y gadawsom ni'r tro yng nghefn y Gerddi, cyrraedd fferm y Ffridd i'r chwith a

21

thyddyn Rhyd-oer dros y boncan i'r dde. Yn ôl Jennet prin y buasai neb am fwyta uwd heb sôn am flasu menyn Mari Rhyd-oer! Y ddwy ferlen yn dilyn darn o ffordd wastad cyn troi i'r chwith o dan Merthyr. Doedd fawr o haul ond yr oedd yr awyr yn glir fel gwydr. Draw yng nghyfeiriad y Bermo, Sarn Badrig fel llafn du ar wyneb y môr. O bryd i'w gilydd, yn yr haf, gallem weld rhyw arlliw o dir Deheubarth yn y pellter. Ar drot i lawr y rhiw hyd at groesffordd Rhiwgoch ac i'r chwith gweld cerbydau teuluoedd Crafnant a Thyddyn-y-Felin yn nesu atom.

Ar y gwastad wedyn. Robert, yr hogyn, ar ei draed yn y cerbyd cyntaf yn gweiddi ac yn pwyntio at olion Cytiau yr Hen Wyddelod. Mae o'n beniog ac yn hoffi hen hanes. Tybed sut bobl oedd y rhain? Roedden nhw mewn lle delfrydol i weld y gelyn o'r môr a'r mynydd. Yn tyfu cnwd fel ninnau mae'n debyg ac yn hela yn y mynyddoedd. Yn y pellter ar y chwith o'n hôl yr oedd rhes y mynyddoedd o'r Rhinogydd hyd y Garreg Saeth fel rhyw lwch glas o greigiau ar gynfas yr awyr.

Wrth i ni gyrraedd pen y rhiw serth dyma'r môr mawr yn ymddangos o'n blaen. Dim ond môr am hydoedd yn ymestyn at y gorwel. Un naid a gallem fod yn ei ganol gan mor serth y rhiw! Plant bythynnod Penucha'r-Ffordd wedi dal i fyny efo ceffylau'r ffermydd ac yn rhyw ymryson ras efo nhw. Un cam gwag a gallent fod dan draed yr anifail.

Roedd enwau'r tai-annedd yn wybyddus i Robert ac Wmffre ond nid i ni. Pobol-ddwad i'r ardal oedd Morgan a minnau – Ffordd Groes, Tai Ty'n y Buarth a Rhiwcenglau.

Ar hynny dechreuodd Cloch yr Eglwys ganu a does dim byd yn gyffelyb i sŵn y gloch ar fore Gwener y Groglith, yn enwedig ar dywydd braf.

Cyrraedd pentre Llanfair mewn da bryd. Tyrfa wedi casglu o gwmpas drws yr Efail ac o flaen tafarn Ty'n Llan. Daeth gwas y dafarn i gasglu'r ceffylau i'w gwarchod yn y caeau. Sgwrsio â hwn a'r llall. Pobol na welsom hwy efallai ers blwyddyn gron. Y dyrfa yn dechrau crynhoi a dyma gyrchu clwyd y fynwent. Syrthiodd tawelwch yr amgylchiad arnom fel y cerddem rhwng y coed yw at ddrws yr Eglwys. O ddeutu'r drws yr oedd beddau'r hen blwyfolion.

Yr oedd y gloch yn dal i ganu ac fel y rhown fy nhroed ar lawr yr Eglwys bron na theimlwn ei bod yn cyhoeddi bod yr Atgyfodiad wedi cychwyn eisoes cyn i boendod prynhawn y Groes ddechrau.

Cerdded i lawr yr eil i seddau'r Gerddi Bluog a synhwyro bod y plwyfolion â'u llygaid i gyd ar deulu'r Archddiacon oblegid ar y bore hwn byddai'r Côr yn Llofft y Grog yn canu'r Salmau Cân.

Gyferbyn â ni roedd teulu Rhytherch Owen, Crafnant yn eu seddau ar ochr Drws Gwŷr Nanmor o'r Eglwys.

Dechrau Mai 1617

Prin fu'r cyfle i roi geiriau ar y memrwn wedi Gwener y Groglith rhwng mynych alwadau'r lle yma, ond rhaid bwrw ati cyn bod y cof am y dydd arbennig hwnnw yn dechrau pylu. Bydd yn rhywbeth i'r meibion yma ei drysori ac yn enwedig Robert, yr hynaf ohonynt.

Fel yr eisteddem yn ein seddau yn yr Eglwys y bore hwnnw roeddwn yn falch bod fy ngwisg yn deilwng o urddas Maesyneuadd ac o safle teulu Archddiacon Meirionnydd. Llaciais y bo-a-phlu y mymryn lleiaf o gylch fy ngwddf. Fel y cerddwn drwy ddrws y Gerddi tua'r cerbyd, yn gynt yn y bore, cefais gipolwg ar Morgan yn taflu edrychiad bach slei o edmygedd arnaf. Peth prin gan Morgan!

Yn Llofft y Grog yr oedd y cantorion yn anniddig i gael canu'r Salmau y buont yn eu hymarfer yn ystod y Grawys – yr hogiau o Landdwywe a Llandanwg a'r llannau eraill. Yn eu plith yr oedd Ieuan y gwas o'r Gerddi Bluog.

Wedi'r hir ddisgwyl cerddodd yr hen Ficer i mewn o'r Festri yn ei wisg offeiriadol a'r curad ifanc wrth ei sawdl.

Hwnt ac yma yn ei bregeth yr oedd yr hen Ficer yn dyfynnu rhannau o'r Ysgrythur Lân o Feibl William Tymawr, fel y galwai Taid Prys o, ac yr oedd yr iaith Gymraeg fel petae hi'n canu yn ein clustiau. O'r diwedd daeth yr amser i'r Côr yn Llofft y Grog ganu o'r Salmau Cân ac ar archiad y Côr Feistr cododd yr aelodau fel un gŵr ar eu traed ac ar hynny troes wynebau'r gynulleidfa i gyfeiriad Llofft y Grog. Llanwyd Eglwys Fair gyda'r geiriau a'r gerddoriaeth yr oedd aelodau eglwysi'r Glannau wedi eu clywed dro ar ôl tro dros y blynyddoedd:

> I'r Arglwydd cenwch lafar glod,
> A gwnewch ufudd-dod llawen fryd;
> Dowch o flaen Duw â pheraidd dôn,
> Drigolion daear fawr i gyd.

Roedd sŵn hymian y gynulleidfa yn amlwg yn y pennill cyntaf ond doedd dim llawer o afael gennym ar y gweddill o'r penillion.

Yna ymlaen at y bymthegfed Salm yn ôl memrynau Taid Prys:

> Dywed i mi pa ddyn a drig
> I'th lys, barchedig Arglwydd?
> A phwy a erys ac a fydd
> Ym mynydd dy sancteiddrwydd?

Wrth wrando bron nad oedd ystum 'rhwyfo cwch' yn gafael yn ein breichiau. Roedd y peth yn gafael ynom. Roedd y Salm Dôn eto yn gyfarwydd fel y canai'r Côr:

> Dy babell Di, mor hyfryd yw,
> O! Arglwydd byw y lluoedd;
> Mynych chwenychais weled hon,
> Rhag mor dra thirion ydoedd.

Caem fod esmwythder y mydr yn cryfhau'r angerdd, gyda'r diweddglo:

> Dedwydd yw'r dyn a roddo'i gred
> A'i holl ymddiried ynod.

Fel yr oedd lleisiau trwm y baswyr yn gwanhau gellid clywed llais tenoraidd, peraidd Ieuan y gwas yn treiddio i bob agen o'r adeilad. Bron nad oedd dagrau ar wynebau'r gynulleidfa. Meddyliais beth tybed a feddyliai ein hynafiaid pe clywsent y fath ganu yn eu cenhedlaeth hwy ar fore Gwener y Groglith?

Yn sydyn, wrth weld ymateb y gynulleidfa trodd Morgan ei ben ymlaen gan wynebu'r allor. Roedd ei gefn bellach at y Côr. Cododd ei ysgwyddau y mymryn lleiaf – yn arwydd o falchder efallai o fod 'yn fab ei dad'. Daeth sŵn crygni i'w wddf ac yn wir yr oedd deigryn ar ei foch. Gallai Morgan fod yn feddal ar brydiau.

Ar drawiad y Salm-dôn nesaf ac fel yr oedd y Côr yn canu'r llinell – 'Yr Arglwydd yw fy Mugail clau' – cododd y gynulleidfa ar ei thraed, fel un gŵr y tro hwn. Ffermwyr oeddynt gan mwyaf a thyddynwyr. Canwyd ac ailganwyd y pennill cyntaf gyda'r sôn am fugail a phorfa a dŵr gloywlas. Daeth gwlad Canaan yn rhan o'u cefndir hwythau.

Erbyn cyrraedd y caniad olaf roedd y Côr a'r gynulleidfa yn un gyda'r geiriau 'Disgwyliaf o'r mynyddoedd draw'. Roedd y cwbl mor syml, mor gartrefol. O'u cylch yr oedd y Rhinogydd a'r Fonllech ac ymlaen wedyn hyd at y Moelwyn a'r Wyddfa fawr.

Ar y diwedd chwalodd y gynulleidfa mewn byr o dro, rhai i Dafarn Ty'n Llan a'r tlodion i'w haelwydydd gyda'r geiriau 'P'le daw im help 'wyllysgar' a 'rhag pob cilwg anfad' yn dal i ganu yn eu clustiau.

Yn wahanol i'w arferiad ar ddydd gŵyl rhyw lithro'n anniddig a wnaeth Morgan oddi wrthym am Dy'n Llan gyda Ieuan y gwas wrth ei sodlau.

Cyrchodd Wil y gwas bach y ferlen a'r cerbyd i dywys y gweddill ohonom adre. Digon oedd i'r ferlen dynnu'r cerbyd a'r plant i fyny'r rhiwiau serth am ddwy filltir da i'r Gerddi y diwrnod hwnnw. Cerdded fu rhawd y ddwy forwyn a minnau am ran helaethaf y siwrnai. Ond yr oedd y cwbl yn werth y drafferth. Serch hynny, mae'n bosibl y bydd hi'n Wener y Groglith arall cyn y rhof fy nhroed i mewn drwy ddrws Eglwys Fair eto.

Diwedd Mai 1617

Does fawr o awydd arna i i afael yn y cwilsyn heddiw. Oerni'r Llofft yma yn rhoi'r *cryd* yn y cymalau achos fuo dim tân yma ers Calan Mai. Stafell ddi-haul ydy hi a digon di-haul ydy hi yn y Gerddi ar y gorau, efo'r coed tywyll ogylch y lle. Mi ddwedodd Taid Prys nifer o wirioneddau wrtha' i o bryd i'w gilydd:

'Mi all cydio yn y cwilsyn yn aml gadw'r *cryd* o'r cymalau', ac meddai wedyn,

'Unwaith y bydd dyn wedi dechrau cael blas ar ysgrifennu, gwylied o rhag colli gafael ar y cwilsyn. Does dim byd yn waeth na bod y *cryd* yn gafael ym meddyliau a geiriau rhywun.'

Mae'n siŵr bod gafael yn y cwilsyn a'r memrwn yn gwneud i rywun anghofio trafferthion y foment a'u cadw hyd braich megis.

Mae'r awyrgylch yn y stafell yma yn union fel tase Taid wedi marw a byth i ddwad yn ôl. Y silffoedd wedi gwacáu ar y diwrnod hwnnw yng nghanol y mis pan aeth o â memrynau'r Salmau Cân oddi yma i'r Tyddyn-Du. Gorchymyn imi wedyn osod pob llyfr a memrwn sbâr yn daclus, dwt yn eu lle ar y silffoedd.

'Rhag bod neb,' meddai, 'yn edliw mai un di-raen a di-lun oedd yr Archddiacon yn ei fywyd!'

Mae rhywbeth mor drist mewn gweld dyn yn casglu llafur ei oes ynghyd ond tra bydd anadl yn Taid Prys, 'Llofft yr Archddiacon' fydd hon.

Yn ddistaw bach rydw i'n cyfaddef y byddwn i'n cael pleser o fyseddu memrynau'r Salmau Cân tase dim ond er mwyn i mi gael dilyn llaw yr Archddiacon. Nid unwaith na dwywaith ychwaith mae Morgan wedi dannod i mi,

'Lisi! Rwyt ti wedi gneud *duw* o Nhad o flaen yr hogiau yma. Mi gân' nhw goblyn o sioc ryw ddiwrnod pan fydd gelynion yr hen ŵr a disgynyddion Rhisiart ap Robert, Prysor yn edliw iddyn nhw mai dyn yn llwgr-wobrwyo a defnyddio anudon oedd eu taid. Fyddan nhw ddim yn fyr o ddyfeisio pob celwydd.'

Ar ôl pob sylw felly byddai Morgan yn ychwanegu'n gellweirus:

'Synnwn i ddim, Lisi, nad wyt wedi syrthio mewn tipyn o gariad efo'r Archddiacon!'

'Falle fy mod i,' fyddai f'ateb, 'achos 'i fod o'n ddyn *geiriau*.'

'Pawb at y peth y bo,' fyddai ei ateb.

Yn neilltuedd y Llofft yma y clywais i Taid Prys yn bwrw ei lid ar William Tymawr. Dyrnu'r Beibl Newydd ar y bwrdd a cholli ei limpyn yn lân am fod cymaint o eiriau'r Salmau 'mor gobleinig o anystywallt ac annichonadwy i'w trosi i fesur Cân.'

Edifarhau yn union wedyn a gosod cefn ei law ar glawr y Llyfr gan ryw hanner sibrwd ynddo'i hun ac annerch y Beibl Newydd,

'Mi wnaeth yr hen William Tymawr orchest aruthrol wrth dy daclo di. Hogiau ifanc oedden ni, William, a ninnau ymhell o'n gwlad ac yn trafod yn yr oriau mân. Roedd cyfoeth iaith y beirdd ar ein gwefusau ni, a'n pobl ninnau heb fedru darllen. Ond yr oedden nhw yn medru canu. Cyfnod cyffrous oedd cyfnod Caergrawnt pan oedd offeiriaid yr Hen Ffydd yn cuddio fel gwaddod yn y ddaear a'r criw Piwritaniaid yn clochdar fel ceiliog ar domen.'

O bryd i'w gilydd fe fyddai'n cyfeirio at un dyn o'r enw Dafydd Ddu o Hiraddug – ac enw da oedd o hefyd. Roedd hwnnw wedi ceisio trosi'r Salmau ond doedd y Beibl Newydd ddim ar gael bryd hynny. Ymhell yn ôl yr oedd y dyn clyfar hwn, Dafydd Ddu, wedi trosi llyfr a elwid yn *Gwasanaeth Mair* i'r iaith Gymraeg. Mair Forwyn fyddai honno ac fe fyddai pobl yr Hen Ffydd yn ei haddoli hi.

Yn dilyn llwyddiant y Canu Salmau yn Eglwys Fair yn Llanfair ar fore Gwener y Groglith, fe aeth cyffro gwyllt drwy'r Llannau a'r offeiriaid a'r cantorion yn gweiddi am gael y Salmau Cân wedi'u printio. Am ryw reswm yr oedd Taid yn gyndyn o ddwyn y gwaith i ben. Un styfnig ydy o yn ôl Morgan.

Sawl gwaith yn y blynyddoedd ola yma y gwelais i o yn wên o glust i glust yn dychwelyd i'r Gerddi efo Ieuan o'r Hwyrol Weddi yn Eglwys Llanenddwyn.

'Canu godidog heno, deulu bach, ar ganu'r Salmau yn Llanenddwyn,' gan ychwanegu'n gellweirus, 'Bron cystal â chôr yr eglwys ym Maentwrog!'

Troi llygad yn y man at Ieuan a dodi llaw ar ei ysgwydd, a dweud:

'Anodd fyddai cael gwell cantor na hwn yn llys y brenin Iago yn Llundain Fawr!'

Mentrodd Ieuan gyda'r sylw hwn o'r diwedd,

'Ffafr fawr â'r bobl fyddai cael y Salmau Cân wedi'u printio Mr Prys.'

'Gormod o ofalon offeiriadol, 'machgen i, a'r amser yn brin.'

Bron na chlywn Morgan yn sibrwd o dan ei anadl,

'Fuo'r amser, Nhad bach, rioed yn brin i ymgyfreithio ar fater Llety Wilym a Hafod yr Ysbyty a rhyw eiddo felly!'

Roedd Morgan a'i frodyr wedi tyfu i fyny yn sŵn yr enwau hyn a hanes y Sesiwn Fawr.

Rywfodd, rywsut, mewn rhyw ffordd felna y deuai pob sgwrs i ben ar fater printio y Salmau Cân.

Drannoeth

Ar ginio yr oedden ni yn y Gerddi y bore hwnnw yng nghanol y mis, pan ddaeth Taid a Siencyn, gwas y Tyddyn-du yn wyllt ar ein gwartha.

Mae'n rheol yn y Gerddi nad oes neb i siarad adeg pryd bwyd. Guto a Marged yn y gegin gefn am fod y naill yn llowcian ei fwyd a'r llall yn ei golli hyd y llawr gan ei dellni. Ieuan a Wil, y gwas bach, a'r ddwy forwyn, Jennet a Nan wrth y bwrdd ger y ffenest. Morgan a minnau a'r tri hogyn, Robert, Wmffre a Meredydd bach yn wastad wrth y ford ger y dreser. Yr aflwydd yw bod Wmffre, yr hogyn tawel ag ydy o, yn tynnu wynebau ar Meredydd, y lleia' ohonyn nhw. Hwnnw wedyn yn chwerthin â sŵn fel tase dŵr yn cael ei sugno drwy'i ddannedd o. Morgan yn gwylltio'n gaclwm. Tawelwch y rhawg nes bod Wmffre yn ei ddull tawel ei hun yn dynwared stumiau wyneb ei dad. Mae'n rhaid cyfaddef bod gan yr hogyn ddawn i ddynwared stumiau. Ond, Duw a'n helpo pan ddigwydd hyn!

Felly yr oedd hi ar y bore Llun arbennig hwn, pan arbedwyd finnau rhag tagu yn y llwnc gan sŵn olwynion cerbyd yn dod i lawr y tamed rhiw o dan y ffenest.

Un busneslyd ydy Wil, y gwas bach ar ei ore a gallwn weld ar osgo ei ysgwydd iddo gael cipolwg drwy'r ffenest.

'Be welest ti Wil?' gofynnais.

Oedodd yr hogyn gan feddwl y câi gerydd. Ond fe ddaeth yr ateb yn y man:

'Mr Prys, Meistres, a Siencyn, gwas Tyddyn-du.'

Roedd Morgan wedi cael peth amser erbyn hyn i dawelu o'i wylltineb efo'r hogiau.

'Nhad! Be ar wyneb daear mae hwnna isio yma ar fore Llun o bob diwrnod... Gwasanaeth claddu hwyrach yn Llanenddwyn?'

Erbyn hyn yr oedd Morgan yn gynnwrf i gyd ac fel yr oedd yn cyrraedd yr entri yr oedd yr hen ŵr wedi croesi'r trothwy ac yn wyllt yr olwg.

'Nhad bach?' gofynnodd Morgan ac yr oedd yr olaf mor gynhyrfus yr olwg arno â'i dad bellach, 'oes yna farw sydyn wedi digwydd yn y Dyffryn?'

'Marw wir! Neithiwr ddiwetha roedd Ffowc dy frawd yn bygwth cynhebrwng ei dad ei hun! Gallet feddwl na welwn i mo'r bore yma!'

Erbyn hyn yr oedd y plant a'r ddau was wedi chwalu o'r lle gan faint y cynnwrf. Mi es ati er hynny i roi proc yn y tân ac i dwtio'r clustogau ar y gadair fawr.

'Dowch, Taid Prys!' meddwn. 'Dowch i ista at y tân. Mi fydd hi'n haws siarad wedyn.'

Piciais i'r bwtri ac ordro Jennet i ffrio cig moch i'r hen ŵr a'i was, a dau ŵy bob un. Roedd yna beth o bwdin plwm ar ôl wedi'r Sul ac mi wnawn innau saws gwyn poeth efo hwnnw yn y man.

Fel yr oeddwn yn dychwelyd i'r gegin fawr fe glywn Taid yn dal i frygowthan.

'Busnes printio'r Salmau Cân sy'n mwydran pen Ffowc... ond hwyrach ei fod o'n iawn. Doedd o'n arbed dim ar ei eiriau yn y Tyddyn-du neithiwr. Clywet ti o wrthi Morgan!'

'Rydych chi'n mynd yn hen, Nhad. Mi fydd y cynrhon yn cnoi eich cnawd chi yn y Llan a memrynau'r Salmau Cân yn breuo ar y silffoedd yn y Tyddyn-du. Tra bydd Edmwnd a minnau byw fe gânt fod yno, ond wedi hynny mi fydd yna goelcerth fawr oddi allan i'r tŷ yma a llafur oes yn troi'n lludw!'

'Deud mawr Morgan, ond erbyn meddwl roedd Ffowc yn llygad ei le ac yr oedd o'n dal ymlaen.'

'Nhad! Mi ddo' i hefo chi belled â Llundain Fawr os cawn ni rywun i brintio'r Salmau Cân. Taro'r haearn sy raid inni rwan fel y byddwch chi a finnau wedi paratoi'r gyfrol yn barod at ei phrintio ymhen dim!'

'Ie, yn barod i'w phrintio, ddwedodd Ffowc,' medda Taid yn dawelach wedyn, 'ac mi ddeudodd un peth caredig iawn wrth ei dad, sef ei fod o am weld llyfr Salmau Cân, Edmwnd Prys ochr yn ochr â Beibl Newydd William Tymawr o hyn ymlaen yn y llannau.'

Wedi i'r hen ŵr a'i was giniawa gorchymyn Taid oedd: 'Lisi! Tyrd efo mi i Lofft yr Archddiacon, fel y byddi di yn galw'r lle, i ni'n dau gael rhoi *trefn ar y llanast!*'

Deuddydd yn ddiweddarach

Pnawn trist oedd hwn. Cefais gwmni'r Salmau Cân hyd y silffoedd dros y blynyddoedd a buont yn swcwr i mi. Taid Prys wedyn yn mynd a dod ac yn ymarfer y Salmau Cân yn y Llannau ac weithiau yn eu cywiro. Bu ei bresenoldeb ef fel derwen gadarn a'i changhennau yn gysgod teuluol. Priodas-barod i bob pwrpas fu priodas Morgan a mi rhwng Nhad a Taid Prys.

Pan fydd yr hen dderwen yn dechrau sigo, y perygl yw i gysgod y canghennau fynd i'w golli a gadael dim ond gofod noeth ogylch. Bydd hwnnw wedyn ar drugaredd y gwyntoedd croesion. Yn wahanol i mi doedd Morgan ddim wedi syrthio mewn cariad efo neb arall a gwaith anodd ydy llwyr anghofio'r cariad cyntaf. Un ar bymtheg oed oeddwn i yn Ysgol y 'Ffeiriad yng Nglyn Cywarch pan ddaeth y llanc tal a swil braidd yno o Lŷn. Roedd o'n lletya yn nhŷ'r hen Ficer yn yr Ynys am fod ei fryd ar yr offeiriadaeth a chael mynd i Goleg Caergrawnt. Yn wahanol i'r bechgyn eraill yn yr ysgol roedd ei sgwrs o a'i ystum yn gweddu i ŵr eglwysig. Hogyn o fwthyn tlawd yn ardal Llannor ac yn derbyn nawdd, meddid, gan dylwyth Thomas Owen, y Plas Du. Roedd yna rywbeth fel magned yn tynnu Owain a minnau at ein gilydd. Ar amser rhydd yn y bore byddem ein dau – allan o olwg Maesyneuadd – yn cerdded hyd lwybrau'r gerddi yn y Glyn. Breuddwydwyr oeddem ein dau.

Roedd o'n gwybod y cwbl am hanes yr Hen Ffydd yn Llŷn ac Eifionydd. Ei dylwyth wedi mynychu'r Offeren yn 'stafell ddirgel' y Plas Du pan fyddai Robert Gwyn, Penyberth ac offeiriaid alltud eraill yn ymweld â'r lle. Soniodd hefyd am Goleg Douai yn Fflandrys lle roedd yr offeiriaid Pabyddol yn cael eu haddysg. Dechreuais innau freuddwydio am y mannau pell a chael bod y gwanwyn yn lasach a'r machlud yn gochach dros Lŷn ac Eifionydd bryd hynny!

Un breplyd a fu Marged fy chwaer erioed a'i thraed yn sicr ar y ddaear. Pan wnaed y trefniant iddi briodi â Griffith Lloyd, Rhiw-goch, Trawsfynydd chythruddodd hi ddim. Wyddai hi am ddim amgenach! Wedi'r cwbl, fel aeres Maesyneuadd byddai ei dyfodol yn sicr yn ei bywyd.

Fel hyn y byddai hi yn fy herian:

'Wyt ti'n meddwl y bydde llanc tlawd o Lannor yn mentro gofyn i uchelwr am law ei ferch? Taet ti'n priodi Ficer plwy fe fyddet yn lwcus o gael to uwch dy ben. Duw a'th helpo efo offeiriad o Babydd! Fe fydde'n rhaid i ti aros hyd Ddydd Sul y Pys am i hwnnw dy 'briodi' di.'

Fel y digwyddodd daeth ei phroffwydoliaeth yn wir ac fe addunedais innau yn y fan a'r lle na wnawn i byth briodi!

'Cystal i ti fynd i leiandy felly!' oedd ei geiriau brwnt.

Fe fu yna lawer o ddagrau a dadlau cyn i mi, o'r diwedd, fodloni i briodi efo Morgan. O wrthod gallai fy nhad fy ni-etifeddu a phan ddôi Marged fy chwaer i feddiannu'r hen gartre ym Maesyneuadd byddwn fel enaid ar wahân.

Cwrdd â thad Morgan, sef yr Archddiacon ei hun, a wnaeth y tric o'r diwedd. Cefais fod ynddo ddrych o'r llanc Owain o Lannor mewn cyfnod o aeddfedrwydd, yn yr awch at eiriau a'r ystum offeiriadol.

Do, fe droes Owain yn Babydd o'r diwedd a chredaf ei fod yn paratoi at yr offeiriadaeth yn un o golegau'r Eidal.

Priodwyd Morgan a minnau gyda chryn rwysg yn Eglwys Llanfihangel-y-Traethau ac yn raddol fe ddatblygodd graddau helaeth o gytundeb a sefydlogrwydd rhyngom. Does dim yn gariadus ym Morgan ond mae'n garedig ac yn fawr ei ofal am ei deulu a'r ystâd. Fodd bynnag, dros y blynyddoedd olaf hyn mae rhyw drymder o gylch Morgan. Gwn fod rhywbeth mawr yn ei boeni a hwnnw'n dwysáu gydag amser. Mae o'n cuddio rhywbeth rhagof i a minnau'n cuddio f'ofnau rhagddo yntau. Byddaf yn teimlo weithiau fel mynd ato a'i ysgwyd a gweiddi arno,

'Morgan! Dwed wrtha i beth sy'n dy boeni.'

Ond afraid fyddai hynny am y gwn na *fedrai* o ddeud dim. Yn ddistaw bach fynnwn innau ddim *iddo* fo ddeud, gan fy mod yn rhannol wybod y gwir. Mae'r gwir plaen fel dolur agored yn dal i brocio – a'r anwybod beth yn garedicach.

Diwedd Mehefin 1617

Yn gynnar un bore yng nghanol y mis, cyn i'r gweiriau ar Forfa Harlech ac yn y Gerddi fod yn barod i'w torri, fe gychwynnodd Morgan a minnau a'r tri hogyn am Faesyneuadd. Roedd hi'n argoeli am ddiwrnod braf ac y ceid machlud bendigedig dros ben Llŷn wrth inni ddychwelyd y noson honno, heibio i Foel-y-Glo a Merthyr. Galw ym Melin Singrug i dalu dyledion gan y byddwn ni yn cael gostyngiad yn y pris yn y fan honno! Roedd yr hogiau wrth eu bodd a minnau'n trio dweud wrthyn nhw mai Tyddyn Doctor oedd yr hen enw ar Faesyneuadd. Roedd o'n llai tŷ yr adeg honno.

Dydy mam ddim yn dod yn aml iawn i'r Gerddi a byddaf yn meddwl weithiau yr hoffai hi pe bai ei merch wedi cael lle crandiach na'r Gerddi Bluog i fyw ynddo. Efallai ei bod yn meddwl nad ydy Morgan, mab yr Archddiacon, o waed uchelwr go iawn.

Ond yr oedd yno wledd arbennig ar ein cyfer yn yr hen gartre. Kate Jarrett wedi paratoi darn o gig eidion ffres ar y gigwain a blas cinio uchelwr ar y llysiau a'r saws. Cacen riwbob yn dilyn gyda'r crwst yn malu yn y geg a hufen tew efo hwnnw. Coginwraig dda ydy Kate. Fe fuo hi'n gweithio am beth amser yng nghegin y Castell yn Harlech. Gwraig

Tom Jarrett, garddwr Maesyneuadd, ydy Kate ac mi ddaeth y tylwyth i'r ardal ymhell yn ôl efo un o gwnstabliaid y Castell.

Fe wyddwn i y byddai fy mam wedi cael cyflenwad o bethau da i'w bwyta efo'r llong a ddaeth i mewn o un o'r gwledydd pell i borthladd Porthmadog ar ddechrau'r mis. Mi wyddwn i hefyd y cawn i gyflenwad o flawd gwyn a siwgwr i'w cario yn ôl i'r Gerddi yn ogystal â chnau, lemonau ac orennau, resin, dets a synamon. Does dim fel cael dipyn o saets a phersli a sbeisus i roi blas ar fwyd. All y tlodion ddim talu am bethau felne ond mae fy rhieni ym Maesyneuadd yn hael eu calonnau. Mi fydd fy mam wedi stwffio dwy neu dair o boteli gwin Ffrainc i'r bwndel imi eu cael nhw pan fydd Samuel Poole, Garth y Ceiliog a'i wraig yn dod i swper. Un o deulu Poole, Plas Cae-nest ydy Samuel. Mi liciwn i tase cegin orau y Gerddi yn fwy ei maint. Mae clamp o gegin fawr yng Nghrafnant gan Rhytherch Owen a fuasai'n gwneud neuadd plas go lew ei maint. Mae gan Samuel Poole ferch o'r un oed â Robert ac fe ddwedai Morgan fy mod yn trefnu priodasau cyn i'r plant gael eu geni bron! Dydy pethau ddim yn dda rhwng Samuel Poole a Rhytherch Owen, ein cymdogion agosaf. Mae'r ddau gartre am yr afon â'i gilydd a galle bod hen helynt ynglŷn â safle'r Felin.

Ond doedd yr hogyn acw, Robert druan yn cael fawr o flas ar ei fwyd y diwrnod hwnnw. Ofni gorfod wynebu'r ysgol yng Nglyn Cywarch ym mis Medi yr oedd y bachgen. Mi gafodd Wmffre a Meredydd bach fynd efo un o weision fy nhad i dreulio'r pnawn ger 'Chollwyn ar yr Ynys. Bydd y plant yn wastad wrth eu bodd yn cael mynd i chwarae efo tywod a cherdded y traeth yn droednoeth. Cael gwylio'r llanw a'r trai a syllu ar Ynys Gifftan a mynyddoedd Eryri yn y cefndir. Bydd Wmffre, yr hogyn canol, wrth ei fodd yn yr Ynys yn hel breuddwydion am ryw lannau pell. Tynnu ar ôl ei fam y mae o. Mae'r Ynys mor wahanol i'r Gerddi Bluog.

Fel yr oeddem yn cychwyn i lawr am Glyn Cywarch y pnawn hwnnw i gael gair efo'r 'Ffeiriad o Lanfihangel, sef yr ysgolfeistr, fe sibrydodd Robert wrth ei dad:

'Mi fase'n well gen i fynd efo Taid i weld yr anifeiliaid.'

'Fy machgen bach i,' meddai Morgan, 'mi gei dreulio d'oes efo'r rheiny ac mi fyddi wedi diflasu yn y diwedd.'

Mi fûm i'n ceisio dal pen rheswm efo Robert ar fater dysg. Meddwn wrtho:

'Does dim yn codi mwy o gywilydd ar feistr-tir na'i fod yn gorfod rhoi *croes* wrth ei enw! Cofia hefyd mai Saesneg ydy iaith y cyfreithwyr ac mi fedar y rheiny dwyllo dyn. Mae'n ofynnol i feistr-tir arwyddo dogfennau yn ymwneud â threfniant priodasau, gwaddol a rhaniadau'r tir. Mi all un cam anghywir efo'r cwilsyn beri i ddyn golli ei etifeddiaeth!'

Fodd bynnag, erbyn i ni gyrraedd mynedfa Glyn Cywarch a gweld y lawntiau gwyrdd a'r peunod roedd diddordeb Robert yn dechrau amlygu ei hun. Cyrraedd drws mawr y plas a chanu'r gloch. Daeth y sgweiar presennol, William Wynn i'n croesawu. Hogyn clyfar ydy William ac ar fin cael ei wneud yn Uchel Siryf Meirionnydd. Mae ei wraig, Catherine, o deulu Lewis Annwyl, Y Parc, Llanfrothen. O edrych o'n cwmpas gallem weld bod nifer o adeiladau'r plas wedi dirywio. Yn ôl pob arwydd fe fydd yna gryn lawer o adnewyddu ar y Glyn yn y man.

Bu William a minnau yn sôn am yr hen amser yn Ysgol yr Hen 'Ffeiriad yn nyddiau ei dad, Maurice Wynn. Galwyd o'r diwedd ar i'r ysgolfeistr newydd ddod i'n cyfarch o'r stafell gerllaw'r cyntedd. Hwn oedd offeiriad newydd Llanfihangel-y-Traethau – rhyw lipryn o ŵr nerfus yr olwg arno. Gobeithiais y foment honno na fyddai i ddisgyblion anystywallt fynd yn drech nag o.

Cyflwynwyd ef fel y 'Reverend Simon Petters' a ddaethai i'r ardal o rywle yn Lloegr. Dywedwyd iddo gael addysg yn un o'r Prifysgolion mawr a'i fod yn ysgolhaig mewn Groeg a Lladin. Rhoes Morgan besychiad isel ar hynny fel pe bai'n dweud:

'Beth affliw o wahaniaeth wnaiff yr ieithoedd yna i ffermwr yn Ardudwy?'

Roedd yr offeiriad yn prysur ddysgu'r Gymraeg ond pwrpas y cwrs addysg i'r bechgyn fyddai iddynt ddysgu gramadeg Saesneg ac i ddarllen, ysgrifennu a siarad yr iaith honno.

Un pesychiad isel arall gan Morgan. Felly y bydd o yn wastad mewn rhyw ddryswch meddyliol. Bron na chlywn ef yn dweud y tro hwn:

'Fydd neb yn deall yr hogyn pan gyrhaeddith o adre!'

Cael ein harwain i fyny'r grisiau llydan mawreddog i'r llyfrgell. Dyma'r ystafell yr oeddwn mor gyfarwydd â hi. Y llyfrau yn rhesi tynn ar y silffoedd uchel a'r rheiny heb eu hagor ers hydoedd gallwn dybio. Nifer o lawysgrifau yn gorwedd ar ei gilydd mewn câs gwydr ers canrif a mwy, a'r ysgrifen wedi hen lwydo. Gwaith yr hen feirdd efallai. Yn disgwyl amdanom yn y fan honno yr oedd tri bachgen o'r un oedran â Robert, gallwn dybio, ond ychydig yn llai o faintioli! Gyda'n dyfodiad cododd y tri llanc ar eu traed, – yn amlwg o deulu bonedd. Wel, meddyliais, roedd yma ysgol yn sicr i ddysgu cwrteisi os nad at unpeth arall. Eisteddodd y bechgyn ar orchymyn y Sgweiar – pob un gyda'r inc a'r memrwn a'r cwilsyn ar y ddesg. Wn i ddim sut y teimlai Robert y foment honno ond ym mis Medi byddai rhyw un neu ddau o hogiau nerfus eraill wedi cychwyn yn yr ysgol ac fe ddeuent yn gwmni iddo. Sylwais nad oedd yr un ferch yno a diolchais i'm rhieni am roi'r cyfle i mi gael cydio mewn cwilsyn a memrwn yn Ysgol yr Hen 'Ffeiriad yng Nglyn Cywarch.

Wedi dychwelyd i Faesyneuadd fe aeth Morgan, Robert a Nhad i grwydro o gylch y stâd a daeth cyfle i Mam a minnau gael sgwrs. Yn ôl arferiad y blynyddoedd yr oedd y wniadwraig o Faentwrog wedi treulio wythnos yn niwedd Mai ym Maesyneuadd. At ddiwedd y gwanwyn fe fydd y gwerthwyr nwyddau yn cwrdd â'r cychod ym mhorthladd y Bermo pan fyddant yn dod â defnyddiau o bob math ar gyfer cyrtenni a chwiltiau a gorchuddion dodrefn. O Fryste y dônt gan amlaf. Mi gafodd Mam ddarn o ddefnydd brocêd mewn patrymau tlws efo edeuon aur ynddynt i wneud gwasgod i Robert erbyn y bydd yn mynd i Ysgol y 'Ffeiriad.

'Gwasgod i'w gwisgo ar adegau arbennig,' ychwanegodd fy mam, 'pan fydd rhai o fonedd y plasau o gwmpas a'r un modd efo'r sgidie bwcle.'

Meddai wedyn, 'Elizabeth! gofala fod gen ti barau o sanau wrstyd a chlôs a chlogyn cynnes ar gyfer yr hogyn. Lle oer ydy llyfrgell y Glyn ar y gorau. Does dim byd yn waeth na diodde hen gnec peswch yn barhaus.'

Trowyd y stori ar hynny at 'Ffeiriad newydd Llanfihangel.

'Oedd y gŵr yn plesio?' gofynnodd Mam gyda rhyw hanner gwên, 'mi fyddet wedi rhusio pe clywet ti o'n baglu darllen drwy'r Beibl Newydd ar y Sul – rhai o'r plwy yn mynd allan o'r eglwys a'r plant yn pwffian chwerthin.'

Fy unig sylw ar fater y 'Ffeiriad newydd oedd:

'Cyhyd ag y dysgith o Saesneg i Robert, mi blesith yn iawn.'

Difyr yng nghwt hynny oedd cofio am Hen Offeiriad Llanfihangel a chanmol ei rinweddau yn hytrach na'i ffaeleddau. Roeddem wedi tyfu i fyny yn ei gysgod. Y fo fyddai'n cymysgu efo'r beirdd yn yr ymrysonau, yn ymarfer Cerdd Dafod ac yn yfed cwrw efo nhw. Yna dyna Mam yn adrodd y geiriau a glywswn sawl gwaith cyn hyn. Geiriau'r Hen 'Ffeiriad amdanaf oeddynt.

'Trueni na fasa'r hogan Elizabeth yma yn hogyn! Fe wnâi offeiriad neu fardd da!'

Sôn wedyn fel yr oedd yr Hen 'Ffeiriad yn cadw cloben o ddynes fawr yn howscipar yn y Ficerdy a phan fyddai'r gŵr eglwysig yn feddw chwil byddai'n orfodol arni ei bastynu i'w ddeffro. Serch hynny roedd ganddo bwt o bregeth flasus bob amser yn ôl tystiolaeth y ffyddloniaid. Roedd gan yr howscipar fab a mynnai ei elynion bod osgo'r 'Ffeiriad yn ei gerddediad. Boed a fo am hynny fe dyfodd y bachgen yn llanc peniog ac fe aeth draw i Loegr i ddysgu'r Gyfraith.

Rhwng popeth fe ddaeth yn amser i ni droi am adre. Dychwelodd y ddau hogyn, Wmffre a Meredydd bach, efo un o weision Maesyneuadd o'r Ynys efo llond cawell o bysgod. Dyma'r 'lledan' y byddai hogiau'r Ynys yn eu dal. Ffarwelio â'm rhieni o'r diwedd a chael bod hynny, yn ôl yr arfer, yn tynnu deigryn i'r llygad. Y cerbyd wrth inni ddringo'r ffordd o Faesyneuadd yn llwythog gan y teithwyr a'r bwndeli defnyddiau a'r bwydydd a gadwai fy rhieni inni. Meredydd bach yn cysgu'n drwm o dan effaith gwynt y môr.

O ffordd y Fonllech medrem weld yr haul yn machlud yn goch fel tân dros Benrhyn Llŷn. Roedd gwreichionyn o'r tân hwn ynghlwm o hyd wrth y llanc o Lannor a welswn yn Ysgol yr Hen 'Ffeiriad ymhell yn ôl. Bydd y gwreichionyn yma ynghyn tra bydda' i byw ond fyddai Morgan ddim yn deall peth felly. Er ei flinder, sylwais fod Wmffre wedi'i lwyr

gyfareddu gan liwiau'r machlud. Mae o'n dipyn o freudd-
wydiwr fel finnau.

Ond druan o Robert. Roedd rhyw olwg syber arno ac roedd
wedi sobreiddio drwyddo gan brofiadau'r pnawn yn yr ysgol
yng Nglyn Cywarch. Mae 'tyfu i fyny' yn dipyn o boendod yn
wir.

Tawelodd y bechgyn yn llwyr ar y siwrnai ond fe wyddwn
fod rhyw broblem yn anesmwytho eu tad. Meddai Morgan
o'r diwedd:

'Lisi! Mae Nhad yn anniddig ei feddwl ar fusnes yr ysgol
yma yn y Glyn. Y 'Ffeiriad newydd yma ydy'r drwg efo dim
ond bregliach o Gymraeg.'

Yna sibrydodd:

'Beth tase Robert yn methu â dallt y dyn? Roedd yr Hen
'Ffeiriad yn rhugl ei Gymraeg ac yn dallt iaith y beirdd yn ôl
Nhad. Fe alle mai môr o Seisnigrwydd fydd yno bellach!'

Oeddwn, roeddwn i'n deall y sefyllfa yn burion. Cysurais
fy hun wrth gofio bod Robert yn bur beniog efo gwneud
symiau.

Sylwais fod Morgan yn oedi ac yn mesur ei eiriau. Meddai
yn y man:

'Awgrym fy nhad, Lisi, ydy dy fod ti yn mynd ati i ddysgu
Wmffre a Meredydd i ddarllen a sgwennu Cymraeg – efo help
y Beibl Newydd – cyn eu bod nhw yn mynd i Ysgol y
'Ffeiriad.'

'Y fi?' torrais ar ei draws.

'Ie, y ti.'

'Ond wrandawan nhw ddim arna i!'

'Os bydd Taid Prys wedi gosod y ddeddf arnyn nhw,
feiddian nhw ddim gwrthod gwrando! Mae'r Archddiacon
am i'w wyrion fod yn dallt iaith y beirdd!'

Erbyn diwedd y diwrnod hwn roeddwn innau fel Robert
druan wedi sobreiddio drwof.

Pwy a ŵyr beth a ddigwydd? Adduned at y flwyddyn nesaf
efallai? Byddai cael ymhel â geiriau yn gyrru pob ensyniad
cas i ffwrdd.

Dyma gyfle i roi gair ar y memrwn cyn i'r mis yma ddod i ben. Mae'r glaw yn pistyllio heno heibio i ffenest y Llofft. Fel yr oedd y glaw yn dechrau disgyn roedd y dynion yn cario'r llwyth ola o wair Cae Briwnant.

'Hwre!' gwaeddodd Ieuan, 'mae'r c'naea gwair drosodd ac mi fydd y glaw yn lleddfu'r adlodd am flwyddyn arall wedi i lafn y cryman a'r bladur a dannedd y gribin gael eu rhoi i'w cadw dros dro.'

Bu cyfnod y llafur yn anodd i'r dynion. Mi gafwyd gwair y Morfa yn weddol rwydd gan fod y tywydd yn sych a Robin Jac o Dan-y-Castell yn cadw golwg barhaus ar y lle. Gwahanol fu hi yn y tir uchel efo heulwen a glaw bob yn ail. Yn ôl Nan fe aeth Ieuan a Wil bach i Dy'n y Coed i foddi'r cynhaea yn yfed cwrw cartre Siôn Pyrs. Siôn sy'n gofalu am y ffyrdd hyd ben ucha'r Cwm ac un dda ydy Miriam ei ferch o hefyd. Mi ddaw yma'n gyson i helpu ar Ddiwrnod Cneifio a Diwrnod Dyrnu. Mewn unrhyw argyfwng medraf alw ar Miriam.

Mis prysur ar y gorau ydy mis Gorffennaf ond leni bu'n brysurach nag arfer. Yn fuan wedi inni fod ym Maesyneuadd fe aeth Robert a minnau efo'r trap a'r ferlen i lawr i Bentre Gwynfryn a lladd dau dderyn ar yr un pryd yn y fan honno. Roedd y ddwy filltir a mwy i lawr y Cwm yn braf a'r awel o'r coed yn lleddfu'r gwres. Da oedd dianc rhag ogla'r crwyn yn y cafnau yn y Tanws. Does yr un tŷ yn agos i'r lle hwnnw. Mi fydda i'n gofalu mynd ag ambell i botyn jam neu fêl i'w gadael fel arwydd o iechyd da i gymwynaswyr yr ardal.

Galw yn y Ffatri ym Mhentre Gwynfryn i ddechrau a chael cyflenwad o edafedd at wau siwmperi a sanau dros y gaeaf. Cymryd ffordd gefn y Pentre wedyn at y ddau deiliwr. Er i ni fod yma o'r blaen ym mis Mai yr oedd angen ail fesur Robert ar gyfer y ddau drowser, y siercyn a'r crysau. Mantell haf a mantell gaeaf. Rhai go ara-deg ydy'r teilwriaid ond fe gaed addewid y byddai'r cwbl yn barod erbyn diwedd Awst.

Gadewais botyn o fêl yn esgus o echwyn iddynt a bydd yn dda ei gael at beswch y gaeaf meddent. Galw wedyn yn nhŷ Gwern Cymerau ond doedd Siani Puw ddim gartre. Gadael potyn o fêl ac o jam ger trothwy'r drws. Bydd Siani yn ddi-ffael yn rhoi diod i'r gweision pan fyddant yn dwad i fyny efo'r drol-a'r-ceffyl o bentre Llambad. Erbyn i ni gyrraedd Penybont roedd gwraig y gof yn ei ffedog wen yn ein galw i'r tŷ.

'Dowch i mewn, 'ngenath i! A thitha'r llanc, rwyt ti'n tyfu bob tro y gwela i di. Wedi'ch gweld yn mynd i lawr mi es ati i baratoi crempog i chi. Maen nhw'n boeth a menyn ffres arnyn nhw, a thipyn o siwgr.'

Rhai da oedden nhw hefyd.

Mi gawson ni brysurdeb mawr yn y Gerddi hefyd yn ystod y mis yn hel y ffrwythau. Mi gawsom gynhaea' da o gwsberin a chyrains duon. Ogla berwi jam oedd yn llenwi'r lle am hydoedd a bellach y mae yma ddwsinau o botiau yn rhesi ar y silffoedd yn y bwtri. Mae yma ddigon o gega i'w bwyta, chwedl Morgan, ac mewn dim o dro mi awn drwy botyn triphwys o jam ac o fêl. Fe gredai fy mam bod y llafurwr yn haeddu ei fwyd ac felly yr ydan ni yn y Gerddi. Mae rhoi bwyd da yn abwyd at gadw gweision da yma. Yma y daeth Ieuan yn laslanc ac yma mae o'n mynnu bod. Mae o'n caru ers hydoedd efo hogan o Bentre Gwynfryn. Bydd Jennet yn ei herian weithiau:

'Ddylet ti ddim cadw Mati ar y llinyn fel hyn! Pam na phriodi di a mynd i fyw i Bentre Gwynfryn?'

'Lle hel clecs ydy hwnnw,' oedd ateb sychlyd Ieuan. Mae'n debyg mai 'dynas hel clecs' ydy mam Mati p'run bynnag.

'Mae bwthyn Ty'n-ffynnon yn wag ers amser ac mi allech fyw yn y fan honno. Rhyw lai na hanner milltir o'r Gerddi ydy Ty'n-ffynnon.'

Cerddodd Ieuan i ffwrdd ar hynny. Credaf yn ddistaw bach bod y busnes ymarfer canu Salmau ac ymweliadau'r Archddiacon â'r Gerddi yn cadw Ieuan yn y lle yma. Hir yr erys o yma ddeuda i.

Mae Marged, yr hen forwyn, wedi treulio ei hoes o'r bron yn y Gerddi. Yma y byddai hi bob pen-tymor am nad oedd ganddi deulu i fynd atyn nhw. Fe âi ar dro belled â Harlech a thro arall i fynwent eglwys Llanbedr at fedd ei rhieni. Dyma lle mae hi â'i phen yn ei phlu yn ei dallineb wrth dân y gegin fach. Fe fydda i'n gofalu fy mod yn cael sgwrs efo hi am ryw ran o bob dydd. Mi es â hi yn fy mraich y nos o'r blaen at bont Cwmyrafon ac fe fu hithau yn adrodd hanesion hen deuluoedd y ffermydd wrtha' i.

Pwyso ar wal y bont yr oeddem ni yn gwrando ar sŵn y dŵr pan ddaeth yr un hen deimlad ag o'r blaen drosof. Yn y tawelwch rhyngom bron na theimlwn fod brwydr ym meddwl Marged – ar y naill law yn ysu am ddweud rhywbeth wrthyf ac ar y llall yn cadw'r adduned na ddatgelai'r peth byth. Ond fel yr oedd y tawelwch yn dwysáu fe ddwedais o'r diwedd:

'Mi awn ni 'rwan, Marged. Mae hi'n dechrau nosi.'

'Ydy hi deudwch?' gofynnodd hithau, 'Mae hi'n nos arna i ers tro byd.'

Cydiodd yn dynn yn fy mraich a dweud:

'Meistres! Mi wnewch adael iddyn nhw fy nghladdu ym mynwent Llambad oni wnewch? Mae Meistr Prys wedi addo ac mi gadwith ei adduned.'

'Popeth yn iawn, Marged,' meddwn i, 'a dydach chi ddim wedi marw eto!'

Chwarddodd y ddwy ohonom ar hynny ac ymhen y rhawg daeth y sylw hwn gan Marged:

'Cofiwch chi, Meistres, mae Meistr Prys yn meddwl y byd ohonoch chi er gwaetha' popeth.'

Bûm yn pendroni'n hir uwch ben y sylw hwn.

Dechrau Awst 1617

Fe fu Awst mor driw i'w gymeriad ag erioed ac fe allem weld trochion brown dŵr yr afon yn cyrraedd bron at fwa pont Cwmyrafon. Ond mae peth haul ar fryn eto a saib rhwng dau gynhaeaf. Bore bron yn niwedd Gorffennaf oedd hi pan benderfynais fynd â'r plant i'r mynydd i hel llus. Oherwydd prysurdeb efo'r gweiriau ac anwadalwch y tywydd roedden ni wedi methu â mynd cyn hyn ac fe allai tymor y llus ddod i ben.

Ar y bore arbennig hwn yr oedd Morgan wedi mynd efo'r cerbyd a'r ferlen i Daltreuddyn ar fater cyfreithiol ynglŷn â'r tir. Roedd un o'r Ynadon yn byw yn y fan honno. Ryden ni'n dal tir hwnt ac yma yn y gwaelodion. Gorchmynnais i Jennet baratoi brechdanau a darnau o deisen gri i ni a chynnwys dwy botel wag yn ogystal yn y fasged. Fe gaem ddŵr glân o'r pistyll wrth ochr Tyddyn Traean wrth odre'r *Steps*. Protestiodd Jennet yn wyllt:

'All Meredydd bach byth gerdded yr holl siwrnai, Meistres!'

Meddwn innau: 'Fynna' i ddim colli'r llus ar unrhyw gyfrif a phan ddaw Wil y gwas bach at y tŷ gyr o ar ein holau ni efo'r ferlen a'r gert. Mi fydd y gert yn ddigon cryf i ddal yr hogiau.'

Fe gafodd Nan a Robert ac Wmffre gan chwart bob un at gario'r llus, can llai i Meredydd a basged i minnau. Yn honno yr oedd y tun bwyd a jar o fêl caled i wraig Tyddyn Traean – yr olaf yn ôl arfer y blynyddoedd.

Fel yr oedd cloc mawr Taid Prys yn taro naw yr oedden ni ar ymadael. Sgrialodd yr hogiau i lawr yr ochr am y llwybr croes oedd yn torri drwy'r coed tua thŷ Dolwreiddiog Mawr gyda Nan a minnau ar eu holau. Hogan fach annwyl ydy Nan efo dau lygad glas digon o ryfeddod a'r rheiny yn onest fel y dydd.

Mae'n od meddwl mai plant di-gartref a di-deulu sy'n dod yn weision a morynion i'r Gerddi. Fe gânt gartre yma tra bydda i. Llwybr cas ydy hwn at Ddolwreiddiog Mawr efo bonion hen goed ar ei draws ond mae'n torri peth ar y siwrnai.

Dyffryn digon coediog ydy dyffryn yr Artro ond o leiaf fyddwn ni byth yn fyr o ddeunydd tanwydd yma. Cyrraedd yr adwy ger Dolwreiddiog Mawr a gweld bod mwg yn codi o'r simneiau tal. Cyfarthodd y cŵn fel yr oeddem yn dringo i fyny'r pwt o riw serth gyda thalcen y tŷ. Ar hynny dyma glywed sŵn chwarae plant ryw ganllath oddi wrthym.

'Sh!' meddai Nan, 'Mae plant Dolwreiddiog Bach yn gwybod ein bod ar y ffordd. Ciwed leuog, budr a blêr ydyn nhw.'

'Cerddwch yn dawel,' meddwn innau, 'a pheidiwch â'u hateb yn ôl beth bynnag wnewch chi.'

41

Dyn a ŵyr beth a allai ddigwydd! Gallai'r rhain luchio cerrig atom.

Wrth inni nesu at y tŷ fe welem yr hynaf ohonynt yn pwyso dros y wal. Chwislo wedyn a dechrau poeri ond doedd dim sôn am gerrig yn unman.

Wedi inni fynd dalm o ffordd dyma'r giwed gythreulig yn dechrau gweiddi dros y wlad:

'Crachach Gerddi Bluog
Epil Rhidian rhechog !'

Ac felly y bu nes i ni ddiflannu o'r golwg ac iddyn nhwythau flino. Roedd yr hen blant wedi dychryn braidd ac meddwn innau wrthyf fy hunan, 'Chaiff yr un o'r giwed yna gymaint â chrystyn yn y Gerddi fore C'lennig eto!'

'Pwy ydy Rhidian mam?' gofynnodd Wmffre.

Daeth Nan i'r adwy ar hynny efo'i sylw:

'Hen rigwm gwlad ydy o. Maen nhw'n gneud yr un peth efo enw Garth-y-Ceiliog a Drws-yr-Ymlid. Coman-Jacs ydyn nhw!'

Chwarddodd y bechgyn ar hynny.

'Be' ydy coman-Jacs, Nan?' gofynnodd Meredydd yn glustiau i gyd.

'Wn i ddim yn iawn ond dyna ddeudai crachach Castell Harlech am dylwyth Dolwreiddiog Bach.'

Wrth inni gerdded ymlaen tuag at y Rhaeadr diolchais mai'r enw Rhidian – pwy bynnag oedd hwnnw – a glywodd y plant y bore hwnnw. Torrwyd ar ein meddyliau gan sŵn olwynion cert o'n hôl yn rhywle.

'Hwre!' gwaeddodd Robert, 'mae Wil bach a'r ferlen ar ei ffordd. Mi gawn ni'n cario 'rwan.'

Gwthio'r tri phlentyn belled ag y medrwn i i'r gert a phentyrru'r sachau ar gefn y cerbyd rhag iddynt syrthio allan, a siarsio Wil bach i aros amdanom wrth ffermdy Cwmbychan. Gweld y ferlen a'i llwyth yn troi i'r dde wrth drofa Cwm Mawr. Yr olwynion yn rhygnu mynd hyd y ffordd dolciog. Clywed yr hogiau – pob un ohonynt yn gweiddi ei enw o fin y llyn nes bod yr eco yn taflu'n ôl o grombil y Garreg Saeth. Y cwbl ohonom o'r diwedd yn cyfarfod ym mhen draw'r llyn. Siars arall i Wil y gwas i'n cwrdd yn yr un man tua phedwar o'r gloch y pnawn.

Fe fyddai'n rhaid i ni benderfynu ar yr amser yn ôl symudiad yr haul yn yr awyr ond fe fyddai'r plant wedi glân flino erbyn hynny. Daeth gweddw fach Tyddyn Traean i'n cwrdd wrth yr adwy yn ei barclod wen. Ei gwallt wedi'i dynnu'n dynn yn gocyn ar ei gwar. Gwynt y mynydd wedi ceulo'i chnawd yn felyn a'r rhychau yn ffrydiau mân yn ymestyn at yr en. Bugail yn gwylio defaid y gwŷr mawrion oedd ei gŵr ac fe'i collwyd mewn hafn yn y Rhinogydd yng nghanol y niwl flynyddoedd cyn hyn. Cefais wared o'r potyn mêl ac o hynny ymlaen byddai'r fasged beth yn ysgafnach. Gloywodd ei hwyneb a chydiodd yn dynn yn fy mraich. Meddai:

'Croeso Meistres Prys a'r plant i gyd i'r Cwm unwaith yn rhagor. Maen nhw'n deud bod cnwd go dda i'w gael yn y llwyni llus i gyfeiriad Llyn y Morynion leni ond mi fyddan wedi gor-aeddfedu os na frysiwch chi i'w hel nhw rwy'n ofni!'

Llanw'r ddwy botel efo dŵr glân o'r pistyll a dechrau dringo'r llwybr i gyfeiriad y Grisiau. Darn digon diflas yw hwn a'r plant yn ysu am weld yr arwyddion cyntaf o'r llus. Eistedd i lawr o'r diwedd a dechrau rhannu'r bwyd. Roedd Jennet wedi gofalu bod brechdanau mêl i Meredydd a chaws i'r gweddill ohonom. Cacen gri wedyn ac yfed o'r ddwy botel fel y byddai'r galw. Awr ddygyn o chwilio am y llus fel yr oedd yr haul yn hel at ganol dydd a Nan a'r ddau hogyn hynaf yn llanw fy nhun bwyd i a chan peint Meredydd i'r eithaf fel y caent fynd i chwilota am lwyni brasach i gyfeiriad Llyn y Morynion.

Rhybuddiais Nan i gadw Robert ac Wmffre rhag mynd yn agos i'r llyn. Mae yna le twyllodrus yn y fan honno yn enwedig tase'r troed yn digwydd llithro.

Roedd gan Meredydd a minnau ryw ddwyawr digon diflas o'n blaen wedi hynny. Fedrai Meredydd ddim ymdopi ag ymbalfalu drwy'r tyfiant trwchus. Doedd dim sôn am neb yn unman. Meddwn wrth Meredydd:

'Mae pobl y gwaelodion wedi cael y blaen arnom leni ac

wedi sbriannu'r llus. Gobeithio nad ydy'r hogiau'n mynd yn agos i'r llyn!'

Yn sydyn dyma sŵn troedio trwm yn dod o gyfeiriad pen ucha'r Grisiau.

'Mae rhywun yn dwad!' sibrydodd Meredydd.

A dyna lle'r oedd crwmffast o ddyn mawr yn nesu atom yn cario ffon fagl a allai gornelu anifail ac o dan ei gesail fwndel swmpus. Cododd ei het mewn osgo i'n cyfarch. Gyda dyfodiad disymwth y dieithryn a phryder am yr hogiau yr oeddwn wedi cynhyrfu peth ond roedd y gŵr yn awyddus am sgwrs.

'Wedi meddwl am funud mai Saeson oeddech chi. Mi fydda i'n cwrdd â llawer o'r rheiny yn Ffair Barnet ac ar ffyrdd Lloegr Fawr. Mae golwg unig iawn arnoch chi'ch dau!'

Torrais ar ei draws yn sydyn ar hynny:

'Mae'r tri arall yn y cyffiniau yn rhywle.'

Gallent fod yn oedolion am a wyddai o. Craffodd arnaf yn fusneslyd braidd.

'Wel ie, Meistres Prys y Gerddi ydach chi ynte?'

'A phwy ydach chi?' gofynnais innau mor fusneslyd ag yntau.

'Timothy ydy'r enw. Timothy'r Porthmyn i bawb arall. Mi fûm yn y Gerddi fwy nag unwaith efo Lewsyn Owen y porthmon.'

Trodd ei sylw at Meredydd wedyn:

'A beth ydy d'enw di, y bychan?'

'Meredydd,' oedd yr ateb parod a gwn na allai'r hogyn oddef i neb gyfeirio ato fel 'y bychan'.

'Ac mi wnei bump,' ychwanegodd y gŵr.

'Saith,' oedd ateb parod yr hogyn eilwaith.

Cododd y gŵr ei het i fyny y mymryn lleiaf a dechrau crafu ei ben mewn rhyw osgo o chwilota'r cof. Ail osod yr het a sôn am ryw hogyn chwech oed a oedd o faintioli plentyn seithmlwydd. Erbyn hyn roeddwn yn anniddigo ac yn dymuno gweld y gŵr yn cefnu arnom. Roedd sgwrs y gŵr hwn yn chwalu i sawl cyfeiriad ac yn y man byddai'n ffurfio'n un stori. Roedd ei eiriau'n mynd yn fwy beiddgar o hyd.

'O gofio am yr hogyn chwemlwydd mae ganddo lais cryf

fel 'ffeiriad yn yr Eglwys pan fydd o'n gweiddi, – gweiddi'r lle i lawr!'

Pendronodd y gŵr eilwaith ac yna gofyn y cwestiwn:

'Ydy Jennet y forwyn efo chi o hyd yn y Gerddi?'

Pa fusnes oedd hynny i'r gŵr creulon hwn?

'Ydy y mae hi,' meddwn yn sychlyd.

'Rydw i'n ewyrth i Jennet, yn frawd i'w mam hi. Mae hi'n fyd digon anodd ar fy chwaer yn trio magu'r hogyn yna efo'r pen cam a'r nam ar ei feddwl. Ond cofiwch chi mae hi'n cael cil-dwrn at ei fagu o.'

Eisteddodd y gŵr wrth ochr Meredydd ar hynny. Cydiais yn dynn yn llaw y bachgen ac yr oedd fy llaw yn crynu.

'Newydd ddwad adra o Ffair Barnet yr ydw i ac wedi bod yn gyrru gwartheg yno bellach ers chwarter canrif a mwy. Glywaist ti am Ffair Barnet, 'ngwas i ?'

Ysgydwodd yr hogyn ei ben ac aeth y gŵr ymlaen i sôn am ryfeddodau'r lle hwnnw – y clown, y genethod yn cerdded ar raffau, y dynion yn llyncu tân a phobl mor fach fel y medrech eu rhoi yn eich poced! Ac ymlaen ac ymlaen yr aeth yr hanesion.

Torrais ar ei draws o'r diwedd:

'Ylwch!' meddwn 'beth am ichi fynd 'rwan a galw yn y Gerddi a gofyn i Jennet wneud pryd o fwyd ichi. Deudwch eich bod chi wedi fy ngweld i ar eich siwrne.'

Cododd oddi ar ei eistedd yn anfoddog gan gydio yn ei ffon a gwthio'r bwndel o dan ei gesail:

'Rhaid imi warchod y bwndel yma. Yn hwn mae'r cwbwl o gyfoeth sydd gen i.'

'Mae gynnoch chi gartre yn rhywle?'

'Mae gen i do uwch fy mhen yn y Dyffryn yna ac yn ddigon agos i Fwlch Rhiwgyrch lle bydd y porthmyn yn cychwyn am Loegr — gyda llaw oes arnoch chi angen rhywun i helpu efo'r gwair yn y Gerddi?'

'Ryden ni wedi cael y llwyth ola,' oedd f'ateb swta.

'Dim ond gofyn – rhag ofn. Rydw i wedi bod efo'r gweiriau yn ardal Trawsfynydd dros yr wythnos olaf yma. Mi gefais ormod o fedd i'w yfed yn y Greigddu ar y ffordd drosodd ac mae gormod o hwnnw yn gallu gwneud dyn yn fwy tafodrydd nag arfer. Ond digon am hynny.'

Cododd ei het wrth gychwyn i lawr y Grisiau a gweiddi:
'Dydd da i chi!'

Un dydd yn Awst 1617

Mae tawelwch trwm yn y Gerddi a phawb yn meddwl mai fi
sy ar fai. Pawb ond Morgan efallai! Rwy'n ateb pob cwestiwn
ond yn osgoi siarad os nad oes raid. Mae o'n drymder na alla'i
wneud dim yn ei gylch.

'Ydy Mam yn sâl?'

'Mistar! Oedd y gwres yn ormod i Meistres ar y diwrnod
hel llus?'

'Oes yna iselder arni hi?'

Oes, y mae yna ryw fath o iselder arna i na alla i wneud dim
ag o. Clywed clonc, clonc ffon yr hen Timothy yna ar y
Grisiau. Doedd dim byd yn newydd yn yr hyn a ddeudodd o
ar y cychwyn. Sôn am yr hogyn chwemlwydd efo nam ar ei
berson ac yn gweiddi fel 'ffeiriad yn yr Eglwys! Clywed
awgrym pobl a rhoi darn a darn wrth ei gilydd dros y
blynyddoedd. Fe ddwedai Taid Prys bod byw yn yr *anwybod*
yn fanteisiol weithiau gan fod yna lygedyn o *obaith* yn hwnnw
y gellir cywiro'r cam. Y gwir plaen sy'n brifo. Y cymal
ychwanegol gan Timothy a barodd y loes pan gyfeiriodd at
rywun yn estyn *cil-dwrn* at fagu'r hogyn chwemlwydd. Mewn
hanner awr ym Mwlch Tyddiad y pnawn hwnnw mi ddysgais
fwy nag a wneuthum yn y Gerddi mewn chwe blynedd. Beth
fedrwn i ei wneud yn y fan honno ar y Grisiau ond gwasgu'r
hogyn Meredydd ataf mor dynn nes ei fod bron llefain.
Rhoddais un ochenaid fawr ac o'm rhan i gallai fod wedi
rhwygo'r graig oedd tu cefn i mi gan faint ei grym. Wedi i'r
cyffro dawelu ychydig dyma roi chwibaniad ar i'r triawd
ddod atom ac fe ddaeth Nan a'r ddau fachgen efo'r caniau
chwart yn llawn o'r llus. Dyma erchi Nan i fynd ar y blaen
efo'r tri hogyn. Wedi cael eu cefnau a gweld nad oedd yr un
enaid byw o gwmpas dyma dorri allan i feichio crio.

Erbyn imi gyrraedd gwaelod y Grisiau gallwn weld bod
peth o helfa'r llus wedi'u colli yn y ffrwst o gyrraedd y

gwaelod. Pwy oedd yn aros amdanaf wrth adwy Tyddyn Traean ond Morgan ei hun gyda'r ferlen a'r trap. Gofynnodd yn bryderus:

'Ble 'rwyt ti wedi bod? Mae'r olwg arnat ti fel tase ti wedi bod drwy'r drain. Pam na ddeudest ti eich bod yn meddwl mynd i hel llus? Pe taswn i'n gwybod mi fyddwn wedi trefnu pethau'n wahanol.'

'Ei gweld hi'n braf wnes i ac yn ofni colli'r llus,' meddwn.

Ac meddai Morgan:

'Dowch blant bach! Mae gobaith y cawn ni gacen lus eto leni!'

Codi llaw wedyn ar wraig Tyddyn Traean a ffarwelio â hi am flwyddyn arall. Nan a'r ddau hogyn hynaf yng nghefn y cerbyd a Meredydd bach rhyngof i a Morgan yn y sedd ffrynt. Nid cynt yr oeddem wedi cychwyn na ddechreuodd Meredydd brepian.

'Nhad!' meddai, 'mi welodd mam a finnau ddyn cas iawn wrth Bwlch Tyddiad. Mi ddeudodd mai pump oed oeddwn i a'i fod o'n nabod hogyn chwech oed oedd yn hogyn mawr iawn.'

Roedd Meredydd yn amlwg wedi cael cryn fraw y pnawn hwnnw ac yr oedd yn ymwybodol iawn o fychander ei gorff.

Bu tawelwch am beth amser nes i Forgan ofyn:

'A beth oedd enw'r dyn? Wnaeth o gyffwrdd yr un ohonoch?'

Erbyn hyn gallwn deimlo bod symudiad y cerbyd braidd yn anwastad. Roeddwn i'n gyndyn iawn o ateb Morgan ond fel yr oeddem yn nesu at Ddolwreiddiog Mawr fe gofiodd yr hogyn yr enw.

'Timothy! Timothy oedd enw'r dyn cas ac mae o'n ewyrth i Jennet!'

Ar hynny rhoddodd Morgan chwip sydyn ar gefn y ferlen. Cyflymodd hithau ei cham ac ymhen dim o dro yr oeddem ym muarth y Gerddi.

Echnos fe ddaeth Morgan ata' i a golwg lân arno. Roedd o wedi newid o'i ddillad gwaith.

'Lisi,' meddai, 'Mae hi'n noson braf. Chawn ni ddim llawer o nosweithiau fel hyn eto... ddim leni beth bynnag. Gad i ni fynd i ben y Goppa.'

'Iawn,' meddwn i. A dyna ble'r aethom a doedd yna fawr o siarad. Wedi cyrraedd pen y Goppa dyma eistedd ar yr hen foncyff coeden yr ydan ni'n hen gyfarwydd ag o. Ymhen y rhawg meddai Morgan:

'Y Timothy yna wnaeth y drwg ynte?'

'Neu dda,' meddwn i, – 'clirio'r aer hwyrach.'

'A beth ddeudodd o?' gofynnodd yn y man.

Oedais cyn ateb.

'Rydw i'n dal i glywed sŵn ei ffon fagal fawr ar y *Steps*. Clonc, clonc ar y cerrig... Ar y cychwyn ddeudodd o fawr nad o'n i'n ymwybodol ohono cynt. Yr hyn ddeudodd o at y diwedd sy'n dal i frifo... brifo at yr asgwrn. 'Mae fy chwaer yn Nhan Daran yn ca'l cil-dwrn at fagu'r hogyn.' Mi wyddwn i mai sôn am daliad yr oedd o.'

Plygodd Morgan ei ben yn ei ddwylo wedyn gan dorri allan i feichio crio! Morgan yn crio! Doeddwn i erioed wedi gweld y fath drueni! Digwyddai fod gen i hances fawr yn fy llawes.

'Cymer hon,' meddwn i.

Rhwng y llefain fe ddaeth y bwrlwm geiriau oedd wedi eu caethiwo mor hir.

'Un anffawd felltigedig. Chwe blynadd o uffarn! Cuddio celwydd! Tasa'r hogan goch acw ddim wedi dwad i'r Gerddi fasa'r aflwydd yma ddim arnon ni. Acw y mae hi o hyd a 'does gythgiam o ddim rhyngo' i a'r hogan ond yr erthyl yna o hogyn yn Nhan Daran!'

Saib wedyn cyn dechrau ar y cwestiynu:

'Lisi! Pam na faset ti wedi ffraeo efo fi?'

'Ofn... ofn colli popeth. Y cyngor a roddodd Mam i ni, ferched Maesyneuadd oedd hwn, "Calla gwraig uchelwr y distawa fydd". Ond hwyrach mai fy mhechod i ydy meddwl bod tawelwch yn rhinwedd ynddo'i hun.'

'Cred di fi,' oedd ei ateb, 'Does dim yn waeth i ŵr na thrio torri drwy fudandod gwraig!'

Y fi oedd o flaen fy ngwell erbyn hyn. Ac yna daeth y cwestiwn nesaf.

'Pam na fyddet ti wedi gyrru Jennet adra o'r Gerddi?'

'Ofn eto... a meddwl y byddai ei chadw hi acw yn arbed i bobol siarad. Os oeddet ti'n cuddio celwydd, roeddwn innau'n cuddio poen!'

Wedi saib hir arall fe ddwedais:

'Dyden ni ddim haws â beio'n gilydd, Morgan. Chwilio ffordd allan ddylen ni bellach.'

Ac wedyn fe dorrodd y fflodiart yn llwyr ac meddai Morgan:

'Mae gen i gyfrinach i'w deud wrthat ti. Rhyngof fi a'm cydwybod wedyn... Wyt ti'n cofio y noson honno pan fu raid i'r gweision dynnu'r cerbyd a'r ferlen o'r afon? Pawb yn meddwl fy mod i wedi meddwi. Nid wedi meddwi yr oeddwn i. Wedi gwthio fy hun a'r ferlen a'r cerbyd i'r afon yr oeddwn i. Dod allan o'r dŵr yn y diwedd yn wlyb diferol efo dim mwy na thipyn o gloffni yn y goes. Methiant fu hi arna i y tro hwn a dyna ddigwyddodd yr ail waith. Y noson arall roeddwn i ar goll yn y niwl ar ben y Garreg Saeth yn union uwchben y Llyn. Pawb yn meddwl mai chwilio am ddafad goll yr oeddwn i ond doedd yr un ddafad yno. Clywed llais yr hen Lydia yna o Dan Daran yn feunyddiol y byddwn i, yn gweiddi yn fy nghlustiau fel ar ddiwrnod ffair – "Morgan Prys! mae arna i eisio arian... arian a mwy o arian at fagu'r hogyn yna..." Hyn oedd yn fy ngyrru i i drio lladd fy hun.'

Torrais ar ei draws ar hyn gan fod y cwbl fel drychiolaeth o'm cwmpas. Mor anodd oedd cael geiriau...

'A beth oedd yn dy rwystro di, Morgan?'

Oedi hir wedyn cyn bod yr un atebiad yn dod. Meddai o'r diwedd:

'Choeliet ti ddim pe dwedwn i mai gweld tri phâr o ddwylo ifanc yn codi o flaen fy wynab y byddwn i fel tase nhw'n deud "Na!"... Heno mi welis yr un tri phâr o ddwylo yn lluchio pulwau fel pac o fytheiaid yn llofft y Gerddi, a Jennet yn methu'n lân â'u rheoli... Mi benderfynais yn y fan a'r lle yr awn i i chwilio am eu mam nhw, a doeddwn i ddim am *fethu* y tro hwn. Newid fy nillad wedyn a cheisio ei chael hi i ddwad efo mi i ben y Goppa.

Nid dyn am faldod ydy Morgan ond fe gydiais yn ei fraich ar hynny. Meddwn:

'Os nad awn ni adra mi fydd yr *hue and cry* ar ein holau ni, fel y byddwn ni'n deud am filwyr y Castell. Mae'r nos wedi'n dal ni ond erbyn y bore mi fydd pethau'n gliriach. Gwell dau feddwl nag un...'

'Rwyt ti'n un o fil, Lisi!' oedd unig sylw Morgan.

Bron na ddwedwn ei bod yn sefyllfa ddigri fel yr oedd y ddau ohonom yn baglu ein ffordd yn y gwyll o ben y Goppa. Meddai Morgan wrth nesu at y tŷ:

'Roedd y deisen lus honno a gawsom ni gan Jennet y dydd o'r blaen y peth sobra y bûm i'n trio'i fyta erioed... ond wrth gwrs doedd gwraig y tŷ ddim o gwmpas ei phethau.'

'Wel,' meddwn, 'mae yna lus o hyd wedi'u potelu ar y silff yn y bwtri.'

'Mae yna obaith am deisen lus arall, felly?'

'Oes, ...ond nid ar frys chwaith.'

'Diolch i'r Drefn!' meddai Morgan yn dawel.

Yn rhyfedd, yr oedd y diwrnod hel llus hwnnw wedi'n rhwygo *ac* wedi llwyddo i'n cymodi yr un pryd.

Medi 1617

Unwaith y flwyddyn y byddwn yn mynd fel teulu draw i'r Tyddyn-du, a hynny ar ddiwedd y cynhaea' ŷd. Leni roedd hi'n wahanol gan fod Robert ar gychwyn yn yr ysgol yng Nglyn Cywarch. Mae'r Tyddyn-du ymhell oddi yma yng ngogledd Ardudwy a'r teulu yno yn tynnu mwy at Eifionydd a godre Arfon. Anaml hefyd y byddaf yn gweld Marged fy chwaer yn y Rhiw-goch er y gallem gyrraedd Trawsfynydd fel yr hed y frân bron. Dros y Grisiau a thrwy Gwm y Greigddu byddem wedi cyrraedd y Rhiw-goch mewn dwy awr. Bydd Jane, hogan Marged, wedi tyfu i fyny cyn i ni ddod i'w hadnabod ac yr ydan ninnau wedi'n cuddio mewn dyffryn yng nghanol Ardudwy. Bydd Morgan yn teimlo weithiau bod y coed yn Uwch Artro yn ei gaethiwo oblegid yr oedd y tir mor agored o gwmpas ei fagwraeth yn y Tyddyn-du. Ym Maesyneuadd roedden ni wedi hen arfer â'r cwm coediog wrth ein traed o Glyn Cywarch hyd at Felin Singrug.

Mewn cyfnod digon gwlyb yng nghanol y cynhaea' ŷd dyma gychwyn ben bore am y Tyddyn-du efo digonedd o fwyd i'n canlyn a dŵr i'w yfed. Fynnen ni ddim cyrraedd y Tyddyn-du ar ein cythlwng gan mai un oriog ydy Lowri, gwraig Ffowc, a doedd wybod sut dymer fyddai arni. Fel yr oeddem yn cychwyn dyma Meredydd bach yn dechrau crio efo'r ddannodd a doedd dim i'w wneud ond rhoi diferyn o dun-tun riwbob yn ei ddant o. Prin y byddai symudiad clonciog y cerbyd o gymorth i'r ddannodd!

Siwrnai hir yw hon ar y gorau. Wedi gadael top Merthyr ymlaen â ni hyd ffordd y Fonllech. Dwad wedyn i wlad gyfarwydd – Singrug, Soar a Llandecwyn – a'r ffordd yn droellog a'r corneli yn anghyfarwydd i'r ferlen. O'r diwedd roeddem yn nesu at wlad Morgan y gŵr ac i lawr â ni i Felynthryd neu'r Felin Ryd i roi'r enw iawn arni. Yn y fan hon mae afon Prysor yn uno â'r Ddwyryd. Erbyn hyn yr oedd haul canol dydd yn tywynnu ar Forfa Maentwrog. Yn ôl Morgan fe fydd y môr yn cyrraedd bron hyd at bont y pentre ar adeg penllanw.

Chwilio am ddarn o ddaear las ar y gwastad a chael saib ac ymborth i'r ferlen a ninnau. Cyrchu yn y man at glwyd yr Eglwys. Bellach roedd Meredydd wedi cael llwyr wared ar y ddannodd. Sgrialodd y tri hogyn i lawr llwybr y fynwent ar ôl eu tad gan fy ngadael yn y cerbyd yn gwarchod y ferlen.

Cyfle i hel atgofion am Marged a minnau – Margaret ac Elizabeth i Mam bob amser – yn dod i'r Gwasanaeth Boreol ym Maentwrog pan fyddem yn aros yn Hendre Mur. Mynnai fy mam i bawb wybod mai hi oedd Elliw, merch Ifan ap Rhys, Hendre Mur ac mai hi oedd aeres y lle. Prif ddiddordeb y bore Sul hwnnw yn Eglwys Maentwrog i Marged a minnau oedd cael gweld yr Archddiacon Prys, yn ŵr tal a chadarn fel yr oedd yn ei bwlpud, – ac yn y sedd flaen y tri hogyn, Ffowc, Morgan ac Edmwnd. Ym mhen y sedd yr oedd eu mam Elin o deulu mawreddog Pengwen. O'r tri hogyn, rhaid cyfadde' mai Ffowc yr hynaf oedd yn apelio ata' i gan ei fod yn dal ac yn tueddu at ei dad yn ei bryd a'i wedd. Ychydig a feddyliais i bryd hynny y byddwn yn priodi ag un o feibion yr Archddiacon!

Pan ddaeth yr hogiau a'u tad yn ôl i'r cerbyd yr oedd eu brwdfrydedd yn heintus:

'Rydan ni wedi cael sefyll ym mhulpud Taid!'

'Roedd Meredydd o'r golwg yno!'

Protestiodd yr hogyn bach ar hynny:

'Mi gawson ni droi tudalennau'r Beibl Newydd.'

'Ac ista yn sedd Tyddyn-du!'

Piciais innau wedyn i lawr y llwybr i'r Eglwys. Cefais fod yno dawelwch – tawelwch braf.

Aethom i ochr bellaf y bont wedyn ac at lan y Ddwyryd, a bu'r bechgyn yn chwarae ar lan y dŵr. Gwastraffu amser yr oeddem rhag cyrraedd y Tyddyn-du ar awr anamserol. Ymhen y rhawg yr oedd un o weision y Tyddyn-du yn marchogaeth dros y bont ar ei ffordd o Nanmor mae'n debyg. Gwaeddodd Morgan arno ac erchi iddo rybuddio'i feistres, Lowri Prys, bod fflyd y Gerddi Bluog ar eu ffordd yno. O leiaf byddai hynny wedi torri'r garw i ni.

Yn hwyrach yn y pnawn dyma ddringo i fyny'r rhiw serth o Faentwrog a thrwy dreflan Gellilydan. Roedd plant y Tyddyn-du yn chwifio eu breichiau arnom a'u croeso yn gynnes. Daeth Ffowc i'n cyfarfod gyda'r neges bod Siencyn y gwas wedi mynd â'r Archddiacon ben bore i Lys yr Esgob ym Mangor ac na fyddai'n ôl am ddeuddydd.

'Mae pethau pwysig i'w trafod yno,' meddai Ffowc gyda gwên hapus. 'Pethe pwysig i'r Prysiaid, hogie bach!'

Archodd i ni fynd i mewn ac yn wir yr oedd rhyw hanner gwên ar wyneb Lowri hefyd. Yn cuddio o'i hôl yr oedd Lowri fach, yn dlws ond yn swil. Fe dybiwn i y bydd hon ryw ddiwrnod yn denu sylw un o uchelwyr y plasau.

Roedd bwrdd y gegin wedi'i arlwyo efo cig eidion oer a thefyll o fara-ymenyn a theisennau.

Mae'r hogyn Wmffre yn llygaid ac yn glustiau i gyd ac yng nghanol y dwndwr siarad tynnodd fy sylw at y blwch snisin oedd wrth ochr y pentan:

'Blwch snisin yr un fath ag un Taid yn Llofft y Gerddi !'

'Mae'n rhaid i Taid gael blwch snisin lle bynnag y bo,' sibrydais innau.

Ond yr oedd un peth a dynnai fy sylw yn wastad ar dresel y Tyddyn-du. Canhwyllbren bres ydoedd ar ffurf gŵr yn dal cannwyll ymhob llaw. Eiddo Taid oedd y Ganhwyllbren ac mae'n debyg bod beirdd yr ymryson wedi bod yn ei disgrifio fel hyn:

> Dull rhyfedd yw d'agwedd di,
> Delw gul yn dal goleuni.

Byddaf am i'r plant ddysgu'r ddwy linell yma.

Mae Ewyrth Ffowc yn ffefryn mawr ganddynt a buont yn gwrando'n astud arno wrth y bwrdd bwyd. Roedd ganddo newydd da i'r Prysiaid meddai:

'Mae'ch taid wedi mynd i Lys yr Esgob heddiw i drafod efo'r swyddogion y busnes o gyhoeddi'r Salmau Cân. Fydd dim rhaid i mi a Nhad lusgo i Lundain efo'r porthmyn i oruchwylio gwaith y printio fel y gwnaeth yr Esgob William Morgan.'

Sylwais ei fod yn ofalus iawn rhag cyfeirio at y gŵr enwog fel William Tymawr yng ngŵydd yr hogiau. Aeth ymlaen wedyn i sôn am y Llyfr Gweddi:

'Fe gyhoeddir y Salmau Cân ochr yn ochr â'r Llyfr Gweddi Gyffredin. Y Doctor John Davies, Mallwyd, sydd wrthi yn adolygu argraffiad yr Esgob Richard Davies o'r Llyfr Gweddi, ac yn ôl fy nhad fe fydd cyfoeth iaith offeiriad Mallwyd yn rhywbeth i'w drysori.'

Fe droes Ffowc ar hynny at rywbeth ysgafnach gan sôn am y beirdd ac yr oedd hynny wrth fodd y bechgyn, yn enwedig Wmffre.

'Hogia bach!' meddai, 'mae'r byd yn newid. Pan oeddwn i ac Edmwnd a'ch tad yn blant fe fyddai'r beirdd yn *tyrru* i'r Tyddyn-du. Penceirddiaid yn galw a'r Cywion-beirdd yn dod i Ysgol Farddol eich taid. Mi fyddai William Cynwal a Siôn Phylip, Siôn Mawddwy a Huw Machno ar eu taith glera i'r plasau – Rhiw-goch, Hendre Mur, Maesyneuadd, Glyn Cywarch a Chorsygedol.'

Trodd Wmffre mewn syndod arnaf a'r olwg arno yn dweud 'Pam na ddeudoch chi wrthon ni?' Ond ym Maesyneuadd doedd dim sôn amdanom ni'r merched yn cael mynychu'r ymrysonau. 'Gormod o iaith fras y beirdd a chwrw,' oedd rhybudd fy mam.

Soniodd Ffowc wedyn am hwyl yr ymryson a phryfocio diniwed yn tyfu'n rhywbeth erchyll, fel cesig eira ar lawr gwlad. Ddeudodd o mo'r stori honno am yr Archddiacon yn peri i gyrn dyfu ar ben Huw Llwyd, pan oedd corff yr olaf yn ymestyn allan drwy ffenest un o dafarnau Maentwrog. Yn hytrach dywedodd fel y byddai'r beirdd yn dyfeisio pob ystryw yn destun i'r ymryson, ac wrth sôn am y beirdd cyfeiriai at ei dad fel 'Edmwnd Prys'.

'Edmwnd Prys,' meddai, 'yn anfon Cywydd at yr hen William Cynwal o Ysbyty Ifan, gyda'r esgus ei fod yn "gofyn benthyg" bwa dros Rys Wyn o Hendre Mur. Huw Llwyd, Cynfal Fawr yn anfon Cywydd yn gofyn am fenthyg "cwpl o fytheiaid" i Thomas Prys, Plas Iolyn. Edmwnd Prys eto fyth yn anfon Cywydd "gwatwarus" at Siôn Phylip.' Ffowc wedyn yn dyfynnu ambell i linell ohono, fel:

> Hwda hwrliwns hyd Harlech...

> Prins llwybr grech Llawrllech a'i llog...

> Ac wfft i'r Duke o Gifften...

> Draw'n agos i'r Draenogau

Chwarddodd y plant yn uchel gan eu bod yn gwybod am y mannau hyn i gyd!

Ond yn y diwedd fe ddywedodd Ffowc bod llawer o'r hen feirdd wedi marw neu yn rhy hen i glera. Bardd Mochras oedd yr eithriad meddai, 'yn oedrannus ond heb heneiddio'. Eto yr oedd ambell i fardd yn galw yn y Tyddyn-du megis Rhisiart Phylip, bardd teulu Nannau a Siôn Cain o'r Gororau.

Bu'r siwrnai yn ôl i'r Gerddi dros y Fonllech y noson honno yn flinderus ond fe gafodd y bechgyn ddiwrnod wrth eu bodd. Gwn y rhoddai Wmffre y byd am gael dysgu'r Gynghanedd a Mesurau Cerdd Dafod.

Bydd Cyrddau Diolchgarwch Eglwys Llanenddwyn yn digwydd ar y drydedd wythnos ym mis Hydref yn flynyddol a'r pryd hwnnw bydd Taid Prys yn aros yn y Gerddi am ryw bedwar diwrnod. Bu'r wythnos hon eleni yn brysur iawn arnom. Ar ddiwedd y pnawn Llun fe gyrhaeddodd gŵr ifanc ar farch i fuarth y Gerddi. Fe ddaeth at y drws a gofyn yn foneddigaidd i mi ai fi oedd Meistres Prys ac meddai:

'Rydw i'n deall fod y Parchedig Edmwnd Prys yn aros yma yr wythnos hon ac fe fuaswn i'n falch o gael gair efo fo. Rydw i'n edmygwr o'i waith.'

'Offeiriad ifanc,' meddyliais, a dyna alw ar Wil y gwas bach i fynd â march y gŵr bonheddig i'r stabl.

'Dowch i mewn!' meddwn wrtho. 'Dydw i ddim wedi gofyn, beth ydy'ch enw?'

'John,' meddai, 'John Jones' – a dyna'r cwbl.

Byddwn wedi disgwyl i ŵr ifanc mor drwsiadus a bonheddig ei ffordd gael enw mwy anghyffredin.

'Dydy fy nhad-yng-nghyfraith ddim wedi cyrraedd hyd yma. Mae Morgan y gŵr wedi mynd i nôl ei dad o'i gartre ac fe ddylai fod yma unrhyw funud 'rwan.'

Roedd y bwyd wedi'i osod i'r ddau ŵr ar y bwrdd yn y gegin orau ac meddwn wrth y gŵr ifanc:

'Rydych chi wedi cael dipyn o siwrnai. Cystal fyddai ichi gael tamed cyn iddyn nhw gyrraedd.'

Meddyliais y gallai'r gŵr ifanc fod braidd yn nerfus erbyn hyn oblegid doedd wybod beth a ddwedai Taid Prys wrtho. Mae o'n gallu bod mor awdurdodol ar brydiau.

'Does gen i ddim isio rhoi trafferth i chi, Meistres Prys. Efallai na ddylaswn i fod wedi dod.'

'Popeth yn iawn,' meddwn i, a thra roedd o'n bwyta dyma geisio codi sgwrs efo fo.

'Ydech chi wedi teithio o bell?'

'Dim ond o ben ucha Cwmnantcol heddiw.'

'Mae Cwmnantcol yn bur ddiarth i mi.'

'Tasa chi'n cerdded oddi yma am Ddrws Ardudwy, gan gychwyn o ochr y Traws, y lle cyntaf y deuech iddo fyddai fy nghartre i.'

'Wel, wedi hunlle y diwrnod hel llus dydy Drws Ardudwy ddim yn debyg o weld fy nhraed am hir dymor ar ôl hyn,' meddyliais.

'Rydech chi'n ffermio felly?'

'Fy nhad a 'mrawd sydd adre'n ffermio. A deud y gwir does fawr er pan ddois i adre o Lundain.'

'Siwrnai go bell?'

'Ia, ond fydda i ddim yn ei gneud hi yn amal. Mae tair blynedd er pan fûm i gartre o'r blaen – ar hyn o bryd rydw i'n dysgu am y Gyfraith yn Llundain.'

Meddyliais y medrai Taid Prys roi rhai gwersi yn y Gyfraith i'r llanc, gan ei fod yn ôl ei fab wedi cyfreithio llawer yn ystod ei oes!

Cyrhaeddodd y ddau ŵr o'r Tyddyn-du yn fuan wedyn ac yr oedd yr Archddiacon mewn hwyliau da. Wrth groesi'r trothwy dyma oedd ei eiriau:

'Mae cynhesrwydd y Gerddi Bluog bob amser yn dderbyniol i hen ŵr!'

'Does ryfedd bod Lowri Prys yn y Tyddyn-du yn edrych mor gam arnom pan fydd Taid yn canu clodydd y Gerddi,' meddyliais. 'Un oeraidd braidd a fu hi erioed.'

Cafodd y llanc diarth groeso annisgwyl o gynnes hefyd gan Taid Prys a gadewais y tri gŵr wrth y bwrdd bwyd yn y gegin orau. Gofynnais i Jennet roi ychwaneg o danwydd ar y tân yn Llofft Taid a gosod canwyllbrennau ar y ford ger y Beibl Newydd. Erbyn hyn fe ddeuthum i'r casgliad nad oedd yr ymwelydd, John Jones, â'i fryd ar yr offeiriadaeth! Anodd oedd gwybod ar ba berwyl y daeth y llanc ifanc i'r Gerddi. Efallai bod ynddo ryw ddyhead cudd am gyflawni rhyw orchest yn ei fywyd a chael dilyn esiampl gwŷr mawr.

Bu'r hen ŵr a'r llanc ddwyawr a mwy yn y Llofft y noson honno. Sylw cyntaf Taid Prys wedi i'r llanc fynd adre oedd:

'Hogyn peniog, praff efo enw mor gyffredin â John Jones! Wn i ddim eto pam y daeth o yma.'

'Dipyn o eilun-addoliad ddaeth ag o yma,' meddwn innau. 'Mi ddeudodd yn y drws ei fod o'n edmygu'ch gwaith. Falle fod gan y llanc freuddwyd mawr yng nghefn ei feddwl ond nad ydy o'n sicr o'i drywydd hyd yma.'

'Greddf gwraig eto! Ac mae'n bosib dy fod ti'n iawn. Mi

ddwedodd bod ei wreiddiau yn mynd yn ôl hyd at Ynyr Fychan o Nannau. Ei fam o deulu Taltreuddyn yn olrhain yn ôl – fel teulu Myddleton – i Syr John Done. Efo cyndeidiau fel yna fe ddylai wneud ei farc yn y byd. Roedd o'n daer y byddai'n bresennol yn Llanenddwyn 'fory yn y Gwasanaeth Diolchgarwch.'

Erbyn hyn yr oedd yr hen ŵr yn flinedig wedi'r siwrnai o'r Tyddyn-du ac o orfod dal pen-rheswm efo'r llanc. Wrth iddo droi tua gwaelod y staer gellid gweld bod rhywbeth wedi'i anesmwytho. Pendroni peth, a chynnwrf yn dod i'w lais:

'Y peryg ydy bod y llanc, fel toreth o'i genhedlaeth, yn cymysgu efo'r Piwritaniaid felltith yn Llundain!'

Dau gam i fyny'r staer a dyma ebychiad arall:

'Diolch i'r Drefn bod y Papistiaid yna wedi tawelu o'r diwedd yn Llŷn ac Eifionydd!'

Wedi hynny dyma ofyn i Jennet a wyddai hi ymhle roedd y llanc John Jones yn byw.

'Gwn yn iawn,' oedd ei hateb sychlyd, 'ym Maesygarnedd.'

Doedd yr enw yn golygu dim i mi. Mi wn fod Jennet yn anfoddog ei byd gan y bydd hi'n ymadael adeg Pen-tymor G'lan Gaea ond fydd hi ddim yn wag ei phoced. Fe fu Morgan a minnau efo'r Ynad yn Nhaltreuddyn yn setlo mater yr hogyn yna.

Nos drennydd yr oedd hi'n amser yr ymryson flynyddol rhwng yr Offeiriad ei hun a Bardd Mochras yng nghegin orau y Gerddi. Gwelais amser pan fyddai'r mân feirdd yn hel yma ac yn eu plith Siôn Dafydd Siencyn o Lanaber – un arall o'r Phylipiaid. Mae tylwyth y Phylipiaid yn nythaid arbennig o feirdd – beirdd wrth reddf yn ôl Bardd Mochras ac yn rhagori ar feirdd dysgedig y Prifysgolion! Bydd y ddadl hon yn berwi i'r wyneb yn yr ymrysonau. Ffraeo un munud a chymodi wedyn. Dydy'r genhedlaeth iau ddim yn ymddiddori mewn Cerdd Dafod fel yr hen feirdd.

Nos Fercher oedd noson yr ymryson a chyfrifoldeb Morgan ac Ieuan y gwas oedd gweini ar y beirdd. Roedd yno ddigon o gwrw cartre a thefyll o fara ceirch a chaws. Gofalodd Wil y gwas bach ei sgrialu hi o'r Gerddi am lofft stabal gweision Cwmyrafon allan o firi'r ymryson. Ar nos Fercher yr ymryson bydd rhyw ddwsin o'r cymdogion wedi casglu i'r

Gerddi ac fe geir yma guro dwylo yn gymysg â bonllefau o gymeradwyaeth hyd yr oriau mân.

Tuag wyth o'r gloch y nos oedd hi pan gyrhaeddodd Bardd Mochras a'i fab Gruffydd Phylip. Yr hen fardd yn ei legins duon a'r het ddu gantel lydan a fu'n destun sbort i'r beirdd. Collodd yr hen fardd ei het, meddir, ar y Migneint mewn storm, ar ei ffordd adre o glera tua Dyffryn Clwyd, ac fe nythodd yr adar ynddi! Mae'n debyg bod Siôn Phylip wedi cyfeirio at dafarnau tref Harlech – un ac un – mewn un cywydd, ac y mae'r rheiny yn niferus. Fyddai'r hen fardd fawr o dro cyn cyrraedd yno o Fochras heibio i Eglwys Llandanwg.

Ar ei orau mae Bardd Mochras yn fardd da a dywedir iddo smalio gyrru gwylan y môr yn llatai at y 'fun' i'r Bermo:

Hed i'r lan, hydr oleuni,
A dywed, lle'm dalied i.
Wrth aber, nid tyner ton
Bermo, arwdwyth, burm oerdon.

Wrth wrando ar y beirdd bydd rhai llinellau yn aros yn y cof.

Ar nos Fercher yr ymryson leni syrthiodd y swyddogaeth o gloriannu rhwng Edmwnd Prys ar y naill law a Siôn Phylip ar y llall ar Gruffydd Phylip, yr unig fardd arall oedd yn bresennol. Byddai'n ofynnol i Gruffydd chwarae'n ofalus rhwng y ddwyblaid fel bod y symiau'n gyfartal ar y diwedd.

Bu mawr drwst ym muarth y Gerddi wrth i wŷr yr ymryson chwalu am adre. Fel mae'r beirdd yn heneiddio dyn a wŷr am ba hyd y cawn y fath wledd â hyn eto yn y Gerddi.

Dydd olaf y flwyddyn 1617

Mae misoedd wedi mynd heibio er pan ddechreuais sgwennu ar y memrwn ar archiad Taid Prys. Rwyf eisoes wedi gwneud adduned y Flwyddyn Newydd. Yfory byddaf yn rhoi'r memrynau i'w cadw mewn man cuddiedig ar silffoedd y Llofft. Rhaid bellach yw ceisio hel y meddyliau ynghyd.

Ar ddechrau'r mis bu farw Marged yr hen forwyn yn

ddisyfyd yn ei chwsg yng nghornel y gegin gefn. Bu farw yn ddi-boen ac, i raddau, di-boen oedd ei bywyd. Gwraig ddi-nôd heb chwennych dim mwy na gwasanaethu ei meistr a'i meistres a chael ei bwyd a'i diod ac arian pen-tymor. Rhoddwyd hi i orffwys gerllaw ei rhieni ym mynwent eglwys Llanbedr a hynny wedi gwahaniad o drigain mlynedd rhyngddynt. O weld sedd Marged yn wag fe anesmwythodd yr hen was, Guto a symud i lawr at ei neiaint ym Mhentre Gwynfryn. Fe fydd celc go dda i'r rheiny o arian pen-tymor Guto dros y blynyddoedd.

Digon anfoddog fu Jennet i adael G'lan Gaea ond fe gafodd hithau gelc go dda at fagu'r hogyn yna yn Nhan Daran wedi i Morgan a minnau setlo'r mater efo'r Ynad yn Nhaltreuddyn. Ei geiriau olaf oedd:

'Mae'n well i mi fynd adra i fagu'r hogyn rhag bod y cythril Lydia yna yn gwario f'arian ar gwrw!'

Rhaid cyfadde fodd bynnag iddi fod yn forwyn dda.

Diolch i'r Drefn hefyd bod Robert wedi setlo i lawr yn weddol yn Ysgol y 'Ffeiriad. Wn i ddim faint o ddysg a roed yn ei ben ond y mae o'n ffrindiau o'r siort orau efo Morus, hogyn y Sgweiar Wynn. Mae o eisoes wedi magu peth hyder ac fe ddaw i ddilyn arferion bonedd a fydd yn deilwng o deulu Maesyneuadd ac o'r Prysiaid. Rydym i gyd (gan gynnwys Wynniaid Glyn Cywarch) yn olrhain ein tras yn ôl i Ddafydd ab Ieuan ab Einion, hen gwnstabl Castell Harlech.

O sôn am y Castell mae'r lle hwnnw fel draenen yng nghnawd Ieuan y gwas, yn enwedig pan fydd y milwyr yn tresbasu hyd y mynyddoedd yma yn hela ac yn ymarfer efo'r waywffon. Mae'r atgasedd at y Saeson yn ymestyn yn ôl dros genedlaethau yn ei hil hyd at gyfnod y brenin Edward y Cyntaf, pan reibiodd hwnnw diroedd ei hynafiaid yn ardal Ystumgwern yn Nyffryn Ardudwy.

'Pe taswn i'n byw pan oedd y Tywysog Owain Glyndŵr a'i deulu yn y Castell mi fyddwn i wedi ymuno â'i fyddin o a mynd i ryfela belled i lawr â thir y Detha!'

Tir y Deheubarth oedd hwnnw. Mi gredaf bod a wnelo hyn rywbeth â dawn y bachgen i ganu, a'r *wefr* sy'n dweud ein bod yn Gymry o hil gerdd. Byddaf yn ofni weithiau i filwyr Cwnstabl y Castell ddod i'w tranc pe digwyddai Ieuan eu gweld ar dir y Gerddi. Mae mor wyllt ynglŷn â'r peth fel na phetrusai ddefnyddio pa arf bynnag a fyddai yn ei feddiant – boed fforch neu gribin wair neu hyd yn oed bladur – pe dôi ar draws ei elyn! Duw a'n gwaredo rhag hynny!

Bellach bydd yn ofynnol i minnau ymroi at dasgau'r Flwyddyn Newydd. Hyfforddi Nan, y forwyn fach, i ymgymryd â gweithgareddau'r tŷ a wneid gynt gan Jennet. Hogan amddifad ydy Nan ac yr wyf innau wedi hanner ei mabwysiadu hi – fel Marged o'i blaen. Mi ddaw Miriam yma i weithio'r dydd nes y cawn forwyn newydd adeg Calan Mai.

Hefyd fe wneuthum adduned y byddwn yn ceisio dysgu Wmffre a Meredydd bach i ddarllen ac ysgrifennu ac fe all y Beibl Newydd fod yn gymorth i mi. Syniad Taid Prys oedd hyn ac am iddo fo roddi ffydd yn fy ngallu i, bydd yn orfodol arna innau roi ffydd ynof fy hun. Cyn cau'r memrwn heno bydd raid i minnau roi f'enw ar y clawr fel a ganlyn:

Dyddiadur Elizabeth Prys, Y Gerddi Bluog
1617 –

Bydd yn ddyletswydd arnom ddechrau'r Flwyddyn Newydd ar ddalen lân...

Ond dratia! Dratia! Mi fydd yfory yn Ddiwrnod Hel C'lennig ac fe fydd y giwed felltith yna o Ddolwreiddiog Bach yma cyn codi cŵn Caer yn gweiddi canu:

'C'lennig a Ch'lennig! Blwyddyn Newydd Dda!
Mistar a Misus, os gwelwch chi yn dda.'

'Taswn i ond wedi cadw Jennet yma hyd y Flwyddyn Newydd fe fuasai hi wedi gyrru'r fflyd i gerdded! Os gwrthoda i G'lennig iddyn nhw fe allen weiddi'r rhigwm am y 'Rhidian' hwnnw a glywsom ar y bore hel llus wrth basio Dolwreiddiog Bach.

Dratia unwaith! Dyna fi wedi rhoi blotyn ar y memrwn yn barod!

Profiad rhyfedd oedd agor Clawr y Memrwn wedi tair blynedd o amser ac ar ddiwedd blwyddyn fel hyn mae dyn yn codi clawr oddi ar ei feddyliau yn ogystal. Tybio yr oeddwn y cawn beth esmwythâd o gydio yn y cwilsyn heddiw. Mae'r blotyn yn glir ar ddalen yr hen femrwn ac fe fu mwy nag un blotyn o'n cylch eleni.

Ond rhaid diolch yn gyntaf am y pethau da a gafwyd. Mae Robert bellach wedi setlo i lawr yn ffermio efo'i dad yn y Gerddi. Mae o'n hogyn glandeg a fo ydy'r hynaf. Mi wn i imi ddadlau a cheisio torri trwy'r tresi efo nhad pan drefnodd o a'r Archddiacon y byddwn i'n priodi Morgan. Eto fe hoffwn i weld y bechgyn yma yn priodi o fewn cylchoedd y boneddigion. Cystal i ni gymdeithasu mwy efo teulu Poole, Cae-nest a thylwyth Prysiaid Bronyfoel, y Dyffryn. Mae'r Prysiaid yma wedi cymysgu efo Fychaniaid Corsygedol ac Edward Stanley, hen gwnstabl Castell Harlech. Mae un o'r tylwyth yn glyfar iawn, sef Theodore Prys – Prifathro yn un o golegau Rhydychen. Mi ysgrifennodd Bardd Mochras a Thaid Prys gywydd o fawl i Theodore ond mae Taid Prys wedi pwdu peth am fod Theodore yn tueddu i ochri efo'r Papistiaid. Mae Robert, chwarae teg iddo, yn dangos peth o raen ysgol fonedd yn ei ymarweddiad a'i sgwrs.

Mae Wmffre wrth ei fodd yn Ysgol y 'Ffeiriad ond os rhywbeth mae angen torri peth ar ei grib. Tuedd Wmffre ydy codi yn uwch na'i sodlau! Mae Meredydd, fel Wmffre, yn darllen o'r Beibl Newydd fel offeiriad plwy erbyn hyn a'r clod i'w mam medde nhw. Yn ddiweddar, fe fu ambell i ffermwr yn galw yma ar y slei gan ofyn a fyddai Meistres Elizabeth Prys yn bodloni i roi ambell i wers i'w fab! Mae mor bwysig bod bechgyn y ffermydd yn medru deall y dogfennau dyrys yma ac arwyddo eu henwau.

Roeddem wedi gobeithio y byddai'r *Salmau Cân* wedi'u printio erbyn y Dolig eleni ond fe fu peth oedi gyda busnes y *Llyfr Gweddi*. Gweld Taid Prys yn heneiddio yr ydym ac yn pryderu na chaiff weld llafurwaith ei oes mewn print.

Brawychwyd ni yn y Mis Bach gyda marwolaeth ddisyfyd Bardd Mochras. Mae'n debyg bod yr hen fardd, yn wyneb pob ymbil a fu arno, wedi mynnu mynd ar y daith glera ola hon i wlad Llŷn. Y mab, Gruffydd, efo'i deyrngarwch arferol yn disgwyl amdano yn y cwch yn harbwr Pwllheli. Yn drwsgl wedi'r siwrnai llithrodd yr hen ŵr a boddi. Gŵr yn mwynhau byw yn wyneb y byd oedd Sion Phylip ac felly y bu farw. Er y ffraeo a'r pryfocio roedd Taid Prys ac yntau yn gymdeithion agos. Fe aeth gwrando ar Taid yn adrodd rhai o'i eiriau coffa am Hen Fardd Mochras at fy nghalon:

Dwyn ei gorff... enwog oedd,
Adre i Feirion drwy foroedd.

Mae'r Hen Fardd yn gorwedd bellach o fewn i glwyd y fynwent wrth dalcen dwyreiniol eglwys Llandanwg. Mae colli'r Hen Fardd fel colli ffrind.

Drannoeth

Eleni yn anad yr un flwyddyn arall fe fu arddu trwm ar y Gerddi. Roedd yna bethau od yn digwydd o'n cylch yn nechrau'r Gwanwyn yn peri i ni gredu bod y ddynes Lydia, Tan Daran, wedi breibio Gwrach Ty'n Rhos i osod Y Felltith arnom.

Dychwelyd adre yn hwyr y nos yr oedd Morgan a minnau wedi ymweld â theulu'r Talwrn. Y sgwrs yn ddiddorol a'r oriau'n diflannu. Roedd hi'n noson dawel, olau leuad a phawb wedi noswylio gallem feddwl. Wrth i ni basio'r Efail ryw ddwy filltir i fyny'r cwm dyma'r ferlen yn oedi yn ei cham. Yna daeth sŵn trwm curo eingion ar ein clyw. Rhuthrodd Morgan mewn eiliad o'r cerbyd a chyrchu at yr Efail. Dychwelodd yn y man ac ymlaen â ni yn y cerbyd heb ddweud gair nes cyrraedd y Tanws. Meddai Morgan o'r diwedd:

'Doedd yna neb yn yr Efail!'

Yr oedd ei lais yn floesg a gallwn synhwyro ei fod yn domen o chwys. Ofnem sôn am y digwyddiad wedi hynny.

Yn fuan wedi ymadawiad Jennet fe ddaeth Grace yn forwyn atom i'r Gerddi. Yr unig beth o'i le arni, yn ôl Taid

Prys, oedd ei *henw* gan fod blas y Piwritaniaid arno! Roedd yn ei atgoffa o res o enwau merched y merthyr ifanc hwnnw o Biwritan, John Penry. Un rhagfarnllyd ydy Taid. Mae Grace yn berthynas i Kate Jarrett, cogyddes Maesyneuadd. Mi all Grace wneud popeth na all merch Maesyneuadd ei wneud, fel halltu mochyn a rhawio gweddillion y poethwal gwynias o'r popty wal cyn gwthio'r tuniau i mewn ar ddiwrnod crasu bara.

Un bore beth amser wedi i Morgan a minnau glywed sŵn taro'r ordd ar yr eingion yn yr Efail gefn trymedd nos, fe ddaeth Grace ataf yn grynedig a llwyd ei gwedd.

'Meistres,' gofynnodd, 'fydd y cŵn yn dwad i fyny'r staer yn y nos?'

'Bobol bach! Na fyddan. Mi fydd un yn yr hoewal a'r llall yn yr entri.'

'Ond tase drws yr entri ar agor fe allase'r ci ddwad i fyny'r staer!'

Gwyddwn fod Grace yn ferch gall, yn tynnu at ddeugain oed. Beth allai fod yn ei thrwblo?

'Mi ddeuda i wrthoch chi, Meistres, beth a ddigwyddodd. Clywed sŵn trwm fel anadlu ci a wnes o dan ddrws y llofft yn y nos. Fedrwn i ddim cysgu wedyn!'

'Ond... oedd yna gi yno?' gofynnais.

'Na... Mi agorais y drws mor ddistaw ag y medrwn rhag ei fod yn gwichian... ond yr oedd hi'n rhy dywyll imi weld dim. Yn wir, Meistres, roedd y sŵn yn codi ofn arna i.'

'Glywodd Nan y sŵn?'

'Na... roedd hi'n dal i gysgu a doeddwn i ddim am ei deffro hi.'

Doedd dim y medrwn ei ddweud ar y pryd i gysuro'r ferch ond yr oedd difrifoldeb y peth yn pwyso arna i. Tybed a oedd melltith y Wrach ar y Gerddi wedi'r cwbl?

Dyna pryd y dechreuodd Nan, y forwyn fach grynu efo'r poenau yn ei chylla – yr eneth efo'r llygaid glas a'r cyrls yn syrthio dros ei thalcen. Feddyliais i ddim mwy ar y pryd nad poenau merched ifanc oedd arni, nes bod Grace yn deud:

'Dydy'r hogan ddim yn byta, Meistres, ac mae natur pwys arni o hyd.'

Ar y cychwyn gwneud diod o'r wermod lwyd iddi ac

wedyn rhoi treial ar y wermod wen. Roedd digon o'r rheiny yn tyfu yn yr ardd. Ond doedd dim yn tycio a dechreuodd yr eneth gadw i'w llofft. Erbyn hyn yr oedd awyrgylch o anesmwythyd hyd y lle.

Eto fyth dyma glywed Ieuan, un bore, yn melltithio deryn oedd yng nghoed Cwmyrafon, yr ochr arall i afon Artro,

'Mi ro i'r farwol i'r deryn uffarn yna os clywa i o'n crawcian eto yn yr oriau mân.'

Y peth ola y dymunem ei weld fyddai i was y Gerddi dresbasu ar dir cymydog.

'Mae Ieus yn deud y cyfiawn wir,' ychwanegodd Wil y gwas bach. 'Neithiwr ar ei ffordd yn ôl o Bentre Gwynfryn – wedi iddo fod yn caru efo Mati – mi groesodd yn ôl drwy'r gwernydd achos roedd arno fo ofn dilyn y ffordd drol. Yn y fan honno yn y coed y mae'r deryn yn crawcian. Pan fyddwn ni yn ei glywad o o'r llofft stabal mi fydd gwaed Ieus yn berwi medda fo.'

Wrth i'r dyddiau gerdded ymlaen yr oedd poenau'r eneth yn dwysáu a dyma alw am Dora Dolwreiddiog Mawr. Mae hi'n fydwraig ac yn gweini ar gleifion yn ogystal â diweddu corff. Mae Dora yn ddynes o brofiad ac mi all dawelu'r ofnau pan fo salwch yn y tŷ. Meddai'n dyner pan welodd hi Nan:

''Nenas bach i! Mi rown ni blaster mwstard ar dy fol di. Mi fydd gwres y mwstard yn llacio'r cylla ac yn tawelu'r boen.'

Ond doedd fawr o gysur i ni yng ngeiriau Dora pan ddwedodd hi:

'Dydw i ddim yn leicio ei golwg hi!'

Dyma'r math o eiriau sy'n dal i aros yn y cof fel cloch eglwys yn dal ati i ganu o hyd ac o hyd.

O'r diwedd dyma benderfynu i un o'r dynion fynd i gyrchu'r meddyg o Sais sy'n byw yn y Bermo. Wedi dilyn gyrfa feddygol yn ninas Llundain fe riteiriodd i Ddyffryn Mawddach er mwyn cael cerdded y llwybrau i fyny Cader Idris a'r mynyddoedd o gylch.

'O leiaf,' meddyliais, 'fe all gwaredigaeth ddod efo'r meddyg hwn.'

Roeddwn wedi gwylio'r eneth yn tyfu i fyny ac wedi'i mabwysiadu fel merch i mi fy hun. Yn ogystal roeddwn i'n tybio bod hogyn ienga Dolwreiddiog Mawr wedi dechrau rhoi ei serch ar Nan. Mor drwm oedd yr aros!

Pan gyrhaeddodd y meddyg o'r diwedd yr oedd Dora a Grace a minnau yn aros amdano. Roedd yn amlwg bod ganddo ryw *smatrin* o Gymraeg. Doedd yr eneth ddim yn ymwybodol o'i ddyfodiad ac fe ymddangosai ei bod yng ngafael cwsg. Ddeudodd y gŵr mawr fawr ar y dechrau. Safodd yn stond mewn agwedd fyfyrgar am amser ac yna estyn i ni botel fechan yn llawn o gyffur. Byddai diferion ohono ar y tro yn peri iddi gysgu ymlaen ac ymlaen. Dyma ddeall o'r diwedd ei bod yn diodde o'r Cwlwm ar y Perfedd. Oedodd y meddyg beth yn ychwaneg. Gostyngodd ei ben y mymryn lleiaf ac oddi wrth yr ystum hwnnw fe wyddem nad oedd gwellhad o'r salwch arbennig yma.

O ddynwared Dora fe ddysgodd Grace a minnau y modd i ddiddosi'r claf a gwlychu pluen mewn dŵr cynnes a'i thynnu dros y gwefusau. Roedd cyffur y meddyg o'r Bermo yn amlwg yn gwneud ei waith o farweiddio'r corff.

A thrannoeth eto

Yn hwyr y dydd ar y nos Fawrth honno yng nghanol mis Ebrill gofynnais i Grace gasglu'r dynion i fyny'r staer at ddrws y stafell. Morgan oedd y cyntaf i gyrraedd gyda Robert yn dynn wrth ei sodlau a'r ddau was, Ieuan a Wil bach, yn y cefndir.

Fel yr oeddwn yn gafael yn llaw yr eneth sylwais fod y corff yn dechrau llacio. Daeth yr anadl olaf ac fe laesodd y llaw o'm llaw innau ar gynfas y gwely.

Syrthiodd awyrgylch o drymder ar yr ystafell a phob un ohonom yn gaeth o fewn ei gell ei hun. Felly y bu am amser nes i Robert ddechrau anniddigo. Nodiais ar Grace a deud,

'Grace! Ewch i lawr efo'r dynion a gneud llymed poeth i bawb.'

Yno y bûm yn eistedd wrth ochr y gwely nes y cyrhaeddodd Dora o Ddolwreiddiog Mawr. Roedd arna i ofn gadael yr eneth wrthi ei hun yn y stafell. Wn i ddim beth oedd yn mynd drwy fy meddwl gan fy mod mewn amser ac allan o amser yr un pryd. Tybed a fyddai'r profiad cyntaf hwn o farwolaeth yn lliniaru rhywfaint ar bob profiad cyffelyb a ddôi i'm rhan? Ynteu a yw marwolaeth yr ifanc yn wahanol i bob marwolaeth arall?

Gellid bod wedi defnyddio cyllell i dorri drwy drwch y tawelwch oedd o gylch y Gerddi dros y diwrnodau dilynol.

Pan ddaeth y saer o Bentre Gwynfryn o'r diwedd i osod y caead ar yr arch fe daenodd liain gwyn drosti. Dyna'r arferiad pan gleddir person ifanc. Daeth offeiriad y plwy i gychwyn y cynhebrwng ac fe ddarllenodd o'r Beibl Newydd ac o'r hen Lyfr Gweddi.

Y diwrnod hwnnw roeddem yn dilyn yr un siwrnai ag a wnaem ar fore Gwener y Groglith ond gan osgoi eglwys Llanfair y tro hwn. Canlyn y ffordd gul rhwng y waliau cerrig trwchus heibio i fythynnod Erw Gochyn a Thy'n y Maes at eglwys Llandanwg. Rhwng yr eglwys a'r twyni tywod y mae darn helaeth o dir glas a hwnnw'n ymestyn yn ddi-dor hyd at gartref Hen Fardd Mochras. Roedd y bedd newydd agored ar ochr ogleddol y fynwent. Sŵn y môr yn y cefndir yn torri drwy'r graean a sŵn yr arch yn crafu'r pridd. Roeddem yn rhoi'r eneth i orwedd gyda'i rhieni-go-iawn. Pysgotwr oedd tad Nan a chlywais hi'n dweud i'w rhieni foddi ar y ffordd yn ôl o'r Bermo pan droes y cwch drosodd mewn storm o wynt. Gydag amser fe ddaeth y cyrff i'r lan ar y traethau. Mae'n syndod fel y mae cymaint o feddau morwyr ym mynwent Llandanwg.

Ni fu'r gweithwyr yn hir y pnawn hwnnw cyn llenwi'r pridd yn y bedd. Gadewais arno dorch o flodau o wneuthuriad Jarrett, garddwr Maesyneuadd. Wedi'r cwbl, roedd yr eneth wedi tyfu i fyny fel merch i mi.

Fel yr oedd y bobl yn cilio o'r fynwent sylwais fod hogyn ienga Dolwreiddiog Mawr yn pwyso ar garreg fedd gan feichio crio – hwn oedd yr hogyn a oedd wedi dechrau ymserchu yn yr eneth. Oddi allan i'r glwyd yr oedd Dora ei fam yn aros amdano. Cysurais fy hun gyda'r honiad bod amser yn gwella dagrau'r ifanc yn weddol gyflym. Cyn troi allan drwy'r glwyd fe safodd Morgan a minnau am eiliad wrth fedd newydd Hen Fardd Mochras.

Fe adawodd marwolaeth y forwyn fach bwysau trwm ar bawb ohonom yn y Gerddi gydol misoedd yr haf a'r gaeaf. Sydynrwydd y peth oedd wedi dychryn yr ardalwyr. Wedi'r cwbl fe gawsom *ni* y rhybuddion.

Chlywais i ddim sôn byth wedyn am y deryn hwnnw oedd yn crawcian yng nghoed Cwmyrafon ac y mynnai Ieuan 'roi'r farwol iddo'. Deryn corff oedd y deryn hwnnw i mi ac fe alwodd yma yn sgil y digwyddiadau eraill rheini – sŵn taro'r eingion yn yr Efail gefn trymedd nos ac anadlu'r ci dan ddrws llofft y ddwy forwyn.

Mi greda i fod Trefn y Cread mewn rhyw ddull cyfrin yn cyd-fynd â Threfn Dynoliaeth. Mae'r Cread o'n cylch ni yn ddyddiol yn clywed a gweld popeth. Na, *nid melltith Gwrach Ty'n Rhos fu arnom!*

Wythnos y Diolchgarwch am y Cynhaeaf 1621

Fe gafwyd noson ardderchog yn eglwys Llanenddwyn efo'r Archddiacon yn bresennol yn nathliad printio'r Salmau Cân. Casglodd y dyrfa ynghyd. Llofft y Grog yn llawn o gantorion y Llannau a llais melys Ieuan y gwas i'w glywed yn groyw. Y meinciau wedi'u gosod hyd yr eil yng nghanol yr Eglwys a rhywun yn sefyll ym mhob cornel o'r adeilad. Roedd y gynulleidfa yn gwybod y geiriau ar eu cof a chofiais innau fel yr oedd y mab, Ffowc wedi rhybuddio ei dad y byddai'r cwbl wedi mynd i'w golli cyn pen dwy genhedlaeth os na welid y Salmau Cân mewn print. Fe ddwedir ar lafar bod y dull o ganu'r Salmau yn eglwysi Maentwrog ac ardal Dyffryn Ardudwy yn wahanol i'r canu mewn mannau eraill ym Meirionnydd. Dros y blynyddoedd fe fuont yn ymarfer y Salmau Cân gyda'r awdur ei hun ac y mae'r Archddiacon yn gerddor da.

Yn y seibiau cyd-rhwng y canu bu'r Archddiacon yn ei bulpud yn annerch y gynulleidfa gan dalu gwrogaeth i'r gwŷr o ddysg a fu'n ei flaenori yn y gwaith. Hen ewyrth iddo, meddai, o'r enw William Salsbri oedd y cyntaf i gyfieithu'r Testament Newydd i'r Gymraeg ac yna fe aeth ei gyfaill, yr

Esgob William Morgan ati i gyfieithu'r Hen Destament a'r Newydd. Yna soniodd fel yr oedd o a'i gyfaill wedi bod yn trafod hyd yr oriau mân yng Nghaergrawnt sut y gellid cael yr Ysgrythur Lân i'r Cymry yn eu hiaith eu hunain. Felly, meddai, y byddai'r Cymry yn dysgu darllen. Ar hynny lledodd rhyw awyrgylch cyfrin drwy'r gynulleidfa nes gwefreiddio'r canu o hynny ymlaen.

Pwysleisiodd mai tasg anodd a fu trosi'r Salmau ar fydr i fesur cân. Cyfeiriodd at y rhai a fu'n braenaru'r tir iddo – Dafydd Ddu o Hiraddug y clywswn ei enw droeon yn Llofft y Gerddi, a William Myddleton – clywswn ei enw o y noson y galwodd y llanc ifanc, John Jones, Maesygarnedd, ar ei sgawt yn y Gerddi. Doeddwn i ddim o'r blaen wedi clywed yr enw diarth, Morus Kyffin.

Pan ganwyd y geiriau 'Disgwyliaf o'r mynyddoedd draw' a dyblu'r gân drachefn a thrachefn fe eisteddodd yr hen ŵr i lawr yn ei bulpud ei hun. Aethai'r awyrgylch yn drech nag o. Er hynny gellid gweld y cnwd o wallt gwyn a'r corff tal yn cwmanu. Gallwn daeru bod dagrau ar wyneb yr Archddiacon y foment honno. Profiad braf, gallwn dybio, yw i ŵr allu gweld llwyddiant ei lafur ei hun a hynny ar ddiwedd oes. Nid pawb a gaiff brofi'r wefr honno.

Mewn tawelwch yr aethom yn ôl yn y cerbydau, drwy Uwch Artro i'r Gerddi, ac ni fynnai neb ohonom dorri arno. Unwaith mewn oes y daw profiad o'r fath...

Ond och! fel y cwympodd y cedyrn! Sefyll yr oeddwn drannoeth wrth ffenest y bwtri a honno'n gil-agored. Roedd Taid Prys newydd ymadael am y Tyddyn-du. Yn sydyn, dyma sŵn siarad o gyfeiriad talcen y tŷ. Meredydd ac Wmffre oedd yno a'r olaf wedi cael caniatâd i ddod adre o Ysgol y 'Ffeiriad ar gyfer y dathliad yn eglwys Llanenddwyn.

Meredydd oedd y cyntaf i siarad:

'Wmffre! Wyddost ti'r dyn mawr tew yna oedd yn ista o'n blaena' yn yr eglwys neithiwr?'

Torrodd Wmffre ar ei draws:

'Richard Vaughan, Corsygedol oedd hwnnw.'

Mae angen torri ychydig ar grib Wmffre hefyd. Yn wahanol i'w frawd Robert mae o wedi magu gor-hyder mewn amser byr yn Ysgol y 'Ffeiriad.

'Wmffre!' meddai Meredydd wedyn. 'Mae Robert yn deud bod gweision Corsygedol yn gorfod cario Richard Vaughan mewn cadair drwy Fwlch Rhiwgyrch a thros y mynydd i Ddolgellau i Lys yr Ynadon. Pam nad eith o efo'r cerbyd a'r ferlen?'

'All yr un olwyn cerbyd wthio drwy dolciau'r ffordd achos bod gyrroedd gwartheg y porthmyn wedi malu'r ddaear ar y ffordd i Loegr,' oedd yr ateb peniog.

'Wmffre!' meddai'r llais wedyn, 'Leiciet ti fod yn Archddiacon?'

'Na, dim byth bythoedd... ond mi leiciwn i fod yn gwybod y cynganeddion fel Hen Fardd Mochras. Does gen i neb i fy nysgu bellach!'

'Mi allai Mam dy ddysgu.'

'Mam wir! Allai honno byth fy nysgu mwy na brân!'

Allwn i ddim peidio â rhyw hanner gwenu ar hynny nes i ni ddod at ddarn nesaf y sgwrs.

'Wmffre! Mae Robert yn deud nad ydy Taid Prys yn ddyn da i gyd! Mi wrthododd dynnu ei het o flaen y Barnwr yn Llys y Seren ac yr oedd o wedi gwylltio'n gaclwm!'

Chwarddodd y ddau ar hynny.

Eiliad arall ac yr oeddwn yn wynebu'r bechgyn:

'Os clywa i chi eto yn siarad felna am Taid Prys mi fydda i'n deud wrth eich tad! Mi wyddoch sut y bydd hi arnoch wedyn!'

Wrth wylio'r ddau wyneb gwelw yn cyrchu at y tŷ sylweddolais mai fi oedd y person euog. Onid oedd Morgan wedi fy rhybuddio droeon na ddylaswn wneud *duw* o'i dad o flaen y bechgyn? Ac eto pe cawn y cyfle eilwaith ni wnawn un dim yn wahanol.

Llofft yr Archddiacon
Diwedd Medi 1623

'Bu farw yr Archddiacon Edmwnd Prys ym mis Medi 1623 a chladdwyd ef o dan yr allor yn eglwys Maentwrog. Ganwyd ef yn ardal Llanrwst yn 1544. Fe aeth gyda William Morgan Tŷ Mawr, Wybrnant i Goleg Sant Ioan, Caergrawnt yn 1565. Graddiodd yn uchel ac fe'i gwnaed yn Gymrawd o Goleg Sant Ioan. Urddwyd ef yn offeiriad yn Eglwys Maentwrog yn 1572 a gwnaed ef yn Archddiacon Meirionnydd yn 1576. Yn 1580 cafodd offeiriadaeth Llanenddwyn a Llanddwywe yn Nyffryn Ardudwy. Cyhoeddwyd ei *Salmau Cân* yn Llundain yn 1621.'

Croniclais yr hanes yn y modd hwn fel y bydd yr hogiau yn ei drysori ac yn ei drosglwyddo i'w plant hwythau.

★   ★   ★

Adeg y Pasg yr oedd Taid Prys yma ddiwetha pan gafodd o ei anrhydeddu gan blwyfolion Llanenddwyn am ei wasanaeth i eglwysi Llanenddwyn a Llanddwywe am dros ddeugain mlynedd o amser. Canmolwyd ef fel pregethwr ac offeiriad ac i ddiweddu'r noson fe gaed dathliad bach yn nhafarn Antony Humphrey yn Nyffryn Ardudwy gyda'r Warden, Hwmffre ap John a Richard Vaughan, Corsygedol. Does neb o blwyfolion yr ardaloedd hyn yn malio dim am helyntion cyfreithiol yr Archddiacon ynglŷn â'r tiroedd yn ardal Maentwrog a Ffestiniog a'r cynnwrf yn Llys y Seren.

Dyn dysg ydy o iddynt hwy, ac awdur y *Salmau Cân* a roes gymaint o fwynhad i'r cantorion yn y Llannau o gylch – Llanddwywe, Llanenddwyn, Llanbedr, Llandanwg a Llanfair.

Ar fore ei gynhebrwng dyma gychwyn yn gynnar o'r Gerddi am y Tyddyn-du. Cael bod yno dylwyth niferus wedi ymgynnull, yn ddisgynyddion o ddwy briodas yr Archddiacon, a llawer ohonynt yn ddiarth i mi. Roedd yno dyndra dwys ogylch y lle fel yr eisteddem ni'r merched yn y gegin fawr... Clywed sŵn rhiglo'r arch ar ochr y grisiau fel yr oedd y meibion yn ei chario. Arch fawr oedd arch Taid Prys, fel y bu o yn ddyn mawr ymhob osgo ohono. Ni allwn arbed y dagrau a fynnwn i ddim ymddiheuro i neb ohonynt.

Rhoeswn y byd am gael bod yng ngwasanaeth Esgob Bangor yn Eglwys Maentwrog y diwrnod hwnnw. Ond merch oeddwn i – gwaetha'r modd!

Bydd yn ofynnol i mi glirio'r Llofft ar gyfer y bechgyn gan eu bod yn tyfu i fyny yn gyflym. Fe gedwir y silffoedd yma – y silffoedd a godwyd ar gyfer Taid Prys. Mae nifer o'i lyfrau o arnynt, a rhyw dro fe gaf rai o lyfrau Nhad o Lyfrgell Maesyneuadd yn gwmni iddynt. Mae yma hefyd bentwr o femrynau glân a ddaeth o Lys yr Esgob, cwilsyn neu ddau a phot inc. Pan fydd y bechgyn wedi priodi a chwalu hwnt ac yma, efallai y caf innau gydio yn y cwilsyn a'r memrwn fel o'r blaen! Pwy a ŵyr?

Ond y mae un gorchwyl i'w chyflawni eto, sef ychwanegu rhif y flwyddyn 1623 ar glawr y memrwn, ac fel hyn y bydd yn darllen:

Dyddiadur Elizabeth Prys, Y Gerddi Bluog
1617 – 1623

Yna fe'i rhof i'w gadw o dan bentwr y memrynau glân. Yfory fe ddaw Morgan i'r Llofft i gyrchu'r *Beibl Newydd, Y Salmau Cân* a'r *Llyfr Gweddi Gyffredin* a'u gosod ar ben y biwrô yn y gegin orau ochr yn ochr â'r Cloc Mawr, anrheg Taid Prys i Morgan a minnau ar ein priodas.

Tra bydda i, Elizabeth merch Maesyneuadd, yn y Gerddi Bluog, fe wnaf yn siŵr y bydd cysgod yr Archddiacon hefyd hyd y lle.

BRO'R ARTRO

O BENTRE LLANBEDR
I GWM Y GREIGDDU

Pensarn a'r Rhinogydd

Mae'n syndod cymaint o anwybodaeth sydd ymysg ein cyd-Gymry am fro Ardudwy – o'r Ynys, drwy Harlech a Llanbedr hyd y Bermo a Dyffryn Mawddach. Mae natur y ffyrdd i raddau helaeth yn gyfrifol am hyn. Tra bo'r ffordd o'r Gogledd yn gallu osgoi Glannau Meirion, mae trafnidiaeth trefi Canolbarth Lloegr yn llifo i mewn drwy Ddyffryn Mawddach. Clywais ŵr o'r *Midlands* yn dweud yn ei acen amhersain:

'I know this area like the back of me 'ands!'

O leiaf, yr oedd y gŵr hwn wedi gwerthfawrogi'r harddwch oedd i'w gael yn amrywiaeth y tirwedd – y Rhinogydd, y coedwigoedd a'r ddwy afon, yr Artro a'r Nantcol cyn cyrraedd y môr ym Mochras. Dyma'r *Shell Island* bondigrybwyll: fe fabwysiadwyd y termau Saesneg hyn yn y *Guide Books* lleol i ddenu ymwelwyr mewn amser a fu.

Mae pentre **Llanbedr** yn lle tlws gyda naturioldeb y bont,

Llanbedr

yr afon a'r coed a thafarn y **Vic** (neu'r **Ring** fel y galwem hi) yn swatio yng nghysgod y bont. Y rhesi tai yn gymen a thwt a'u cadernid yn dyst i adeiladwaith profiadol y seiri meini ar droad y ganrif. Pan godir ambell i fynglo modern bydd yn wastad ar yr ymylon neu yn cuddio yng nghysgod rhyw goedlan neu'i gilydd.

Ar sgwâr y pentre fe welir yr arwydd **Cwmbychan** a'r ffordd wledig yn arwain am filltiroedd gyda glannau Afon Artro, nes cyrraedd at ei tharddiad yng nghreigle **Dannedd Hyllion** yng nghyffiniau'r **Roman Steps**. Ymhen dim o dro dod at y fan lle roedd hen fwthyn **Tŷ'n Ddôl** gynt ar lan y dŵr. Dros yr afon o'r fan honno y mae coedwig eang is-law y **Gelli-las**. Yn niwedd haf bydd y coed hyn yn gymysgedd o ambr a choch ac oren a phob lliw hydrefol arall. Oherwydd trwch a thaldra'r coed ymddangosant fel carped trwm yn gwyro ymlaen dan ddarn o awyr.

Y mae'r filltir nesaf yn dyst i raen ac urddas tiriogaeth gwŷr y plasau. **Plas y Gwynfryn,** lle bu'r enwog Syr Charles Phibbs yn llywodraethu am gyfnod helaeth. Dihangodd o Iwerddon adeg y cythrwfl yno a thrwy drugaredd daeth â'i gyfoeth i'w ganlyn. Rhoes waith a chyflog i deuluoedd niferus. Cymwynaswr i rai, gormeswr i eraill.

Ac yna **Plas Aberartro** a fu ym mherchnogaeth Mr R. T. Cooke a'i deulu am ran helaeth o'r ganrif ddiwethaf. Ef oedd y cemegydd a rheolwr y Gwaith Powdr ym Mhenrhyn-deudraeth.

Rhwng lleoliad y ddau blas ceir pentref y **Gwynfryn** â'i gnwd tai clòs eu hadeiladwaith yn cuddio ar y boncen. Prin y gwêl y modurwr ei fod yno, ond ni all yntau ychwaith osgoi gweld harddwch yr afon is-law y bompren a'r llwybr troed lle roedd pistyll y pentre a choed Parc Aberartro y tu hwnt. Darn o ffordd syth a llydan wedyn a elwir **Rhydubwll** ar lafar – Rhyd-y-du-bwll gallwn dybio – hyd at **Bont Beser** lle cyferfydd y ddwy afon, y Nantcol a'r Artro. Osgoi troi i'r dde yn y fan honno i gyfeiriad **Capel Salem** y darlun a **Chwm Nantcol**. Gogwyddo i'r chwith a dilyn yr arwydd tua **Chwmbychan.**

Dyma filltir o siwrnai wedyn heb na thŷ na thwlc ar y cyfyl. Ar y naill law ceunant dwfn afon Artro, y coed trwchus

76

Y 'Roman Steps'

a'r drysni a darnau o dir amaeth pur dlodaidd ar y llall. O'r diwedd cael bod yr hen gartref, **Penybont**, yn ein hwynebu a'r lle wedi'i adfer i'w ffurf gynhenid gan feddyg caredig a'i wraig.

Yna dilyn y ffordd wledig ymlaen am bedair milltir a mwy. Cyrraedd rhodfa'r 'Coed *Beech*' wrth ddynesu at ffermdy hen ac urddasol **Crafnant**. Yma yng Nghrafnant yn y bedwaredd ganrif ar bymtheg y bu'r enwog **Dr Owen, Crafnant** yn cadw ei feddygfa. Gelwid ef at y cleifion belled â mannau fel Llan Ffestiniog. Y cleifion yn swatio'n nerfus wrth dân gwresog y feddygfa yng nghanol gaeaf ac yn ofni rhegfeydd y Doctor yn ôl fel y byddai'r hwyl! Clapiog oedd ei Gymraeg, ac fe hoffai fy nain ei ddywared yn y modd y byddai'n cynghori'r mamau: 'Ti roi gwlanen am pen i cadw'r plant yn cynnes'. Blas ysgol fonedd yn Lloegr a blynyddoedd o astudiaeth feddygol yn Llundain, mae'n debyg, oblegid yr oedd tylwyth Oweniaid Crafnant yn perthyn i haen o uchelwyr.

Unwaith y gadewir Crafnant dyma ddod at bont **Cwmyrafon** ar y dde a'r ffordd yn arwain at ffermdy **Y Gerddi Bluog** gyferbyn.

Bron nad yw cyntefigrwydd y tirwedd hyd ochrau y Cwm yn y parthau hyn yn friw i'r llygad. Cerrig mawrion wedi'u gorchuddio â chen a mwsogl canrifoedd yn gymysg â gwreiddiau hen dyfiant. Ehangder y canghennau o'r coed talgryf oddeutu'r ffordd yn ffurfio'n fwâu uwch ben a'r cysgodion yn hel.

O'r diwedd colli golwg ar gwrs yr afon a chefnu ar y coed a chael anadlu awyr iach y gweundir a'r tir mynyddig agored. Cyrraedd Llyn Cwmbychan a sefyll ar ei lan gyferbyn â chraig fawr **Y Garreg Saeth**. Rhoi un fonllef o *waedd* nes bod eco honno yn diasbedain ym mherfeddion y creigiau. Profiad iasol o bryd i'w gilydd!

Cofio'r haf yn y tridegau pan gynhyrchwyd y ffilm *The Drum* yng Nghwmbychan gyda'r Indiad Sabu yn 'seren' ynddi. Er chwilio a chwalu ni chawsom gip ar Sabu ond fe welsom niferoedd o'r Indiaid yn sefyllian o gwmpas y llethrau yn aros eu twrn gallwn feddwl. Golygfa od oedd honno o weld dynion y tyrban yng nghanol y rhedyn a'r llus!

Ond fe fu sawl seren arall yng nghyffiniau Llyn

Cwmbychan cyn hynny. Ystyrid tylwyth y Llwydiaid o Gwmbychan yn uchelwyr o bwys dros sawl cenhedlaeth. Un o'r Llwydiaid oedd Hugh Lloyd, Rheithor Caerwys, a ddaeth yn gydymaith i'r teithiwr a'r naturiaethwr Thomas Pennant ar y daith i Gwmbychan yn ail hanner y ddeunawfed ganrif. Cychwyn o blasdy Corsygedol a wnaethant a dilyn y llwybr drwy Fwlch Drws Ardudwy cyn bwrw i lawr y *Roman Steps* am Gwmbychan. Roedd Thomas Pennant yn fawr ei glod am y wledd a'r croeso a gaed ar y pryd gan Evan Lloyd, yr uchelwr. Mae'r *Bywgraffiadur Cymreig* yn hael ei wybodaeth am gyfraniad unigolion o blith y Llwydiaid.

Merch i John Lloyd, rheithor Caerwys y cyfeiriwyd ato oedd Angharad Llwyd, a oedd yn un o awduresau blaenaf Cymru. Yn ystod ei hoes hir derbyniodd nifer o fedalau am ei thraethodau ymchwil: byddai'n copïo o lawysgrifau yn y llyfrgelloedd ac yn Eisteddfod Biwmares yn 1833 fe enillodd y brif wobr am y gwaith *History of the Island of Mona.* Hoffwn gredu iddi hithau ymweld â chartref ei hynafiaid yng Nghwmbychan.

Gŵr arall o'r tylwyth hwn oedd Henry Lloyd, arbenigwr ar gelfyddyd Milwriaeth. Yn 1779 cyhoeddodd y llyfr a roes fawr glod iddo, *Political and Military Rhapsody on the Defence of Great Britain.*

Fe ddaeth terfyn ers tro byd ar orchestion y gwŷr mawr hyn a does ond y geifr gwyllt, y defaid ac ymwelwyr haf yn aros yng nghyffiniau Cwmbychan.

Gorchest o fath arall yw adeiladwaith gelfydd y **Grisiau Rhufeinig,** neu'r *Roman Steps* fel y mynnwn eu galw. Gallent wrth gwrs fod wedi'u dyfeisio yng nghyfnod y Rhufeiniaid i hybu trafnidiaeth rhwng Tomen-y-Mur yn Nhrawsfynydd a glannau'r môr ond y dyb bellach yw mai yn yr Oesoedd Canol y codwyd hwy.

DWYN MAE COF...

FY NHAD
HUGH DAVIES JONES

Fy nhad oedd yr ieuengaf o bedwar plentyn John ac Ann Jones, fferm Trewyn Fawr, Corwen. Mab Tan-y-Gaer, fferm gerllaw, oedd fy nhaid ac yr oedd yn Rhyddfrydwr tanbaid. Adeg Etholiad wythdegau'r bedwaredd ganrif ar bymtheg pleidleisiodd dros y Rhyddfrydwyr ac o ganlyniad trowyd y teulu allan o Drewyn Fawr gan y Meistr Tir, y Sgweiar Wynn, Plas Rug.

Buont yn byw am naw mis mewn tŷ teras ger Stesion Corwen cyn symud i fferm Bwlch y Dongau, rhyw filltir o Ryd y Croesau, wrth odre Clawdd Offa a rhyw chwe milltir o dref Croesoswallt.

Fel y digwyddodd yr oedd tylwyth fy nain, Ann Jones, yn ymestyn ymhell dros y canrifoedd yng Ngogledd Powys, hyd at Bleddyn ap Cynfyn a fu farw yn 1075. Roedd fy hen nain yn un o'r Thomosiaid a gysylltwyd â fferm Camhelyg yn Nyffryn Ceiriog. Un o'r Thomosiaid hefyd oedd y Parchedig D. R. Thomas, Archddiacon yn Esgobaeth Llanelwy ac awdur y llyfr *The Life and Work of Bishop Richard Davies*, ymysg cyfrolau eraill. Y gŵr hwn a fu'n gyfrifol am olrhain llinach y Thomosiaid dros y canrifoedd yng Ngogledd Powys ac ar Rôl y Cart Achau fe gaed nod y Bais Arfau yn 1896. Anodd gwybod pa faint callach yw rhywun o wybod hyn oll, ond o leiaf fe ellir treulio oriau difyr yn olrhain y cysylltiadau yn ardal Clawdd Offa!

Roedd fy mam bedair blynedd ar ddeg yn iau na fy nhad ac o'r herwydd prin oedd ei gwybodaeth am gefndir ei hynafiaid ac am natur ei addysg gynnar. Gan nad oeddwn innau ond dwyflwydd oed pan fu farw fy nhad ni allwn innau ond damcaniaethu ynghylch nifer o bethau. O droi ymysg ei lyfrau, cael bod rhywbeth personol iawn yn bodoli rhwng dyn a'i ddewis o lyfrgell.

Mae'n wybyddus iddo dreulio peth amser yn Athrofa'r Bedyddwyr yn Llangollen a symud i Fangor pan sefydlwyd y Coleg Bedyddwyr newydd yno. Yna ceir tystiolaeth iddo gael ysgoloriaeth i'r Coleg yn Aberystwyth ar sail ei lwyddiant yn y *London Matriculation.*

Yn ôl a glywais gan fy mam ei ddymuniad oedd cael treulio blwyddyn estynedig yn Aberystwyth fel y câi gwblhau ei Gwrs Gradd. Siomwyd ef yn fawr oherwydd i'w dad wrthod cymorth ariannol ac fe geir cadarnhad o hyn yn un o'r Ysgrifau Coffa iddo. Ni allaf ond credu mai gŵr penderfynol iawn oedd y taid hwn o Ryddfrydwr o ochr fy nhad!

Wedi hynny derbyniodd fy nhad alwad i weinidogaethu yn eglwysi Bedyddiedig Salem Cefncymerau, Llanbedr a Dyffryn Ardudwy ar lannau Meirion ac yno y cyfarfu â fy mam.

Cefais wybodaeth werthfawr amdano o ddarllen dwy Ysgrif Goffa iddo yn yr *Hauwr* 1924, sef cylchgrawn a gyhoeddid gan y Bedyddwyr bryd hynny. Dyfynnaf i ddechrau o sylwadau gŵr a fu'n gyd-efrydydd ag o yn Llangollen, sef y Parchedig W. R. Jones, Y Barri (Gwenith Gwyn):

> Da y cofiaf am y cyfarfyddiad cyntaf yn Llangollen ac ef yn llanc tal, cyhyrog a chryf a'i law yn llaw aradrwr. Derbyniwyd wyth ohonom i'r Athrofa ar yr un pryd ac nid oedd un ohonom yn fwy addawol na H. D. Jones, Bwlch y Dongau. Disgwyliem bethau mawr oddi wrtho, canys yr oedd yn efrydydd dyfal a manwl, a'i gynheddfau meddwl yn gryf a chraff. Gŵr hawddgar a ffyddlon, ymlyngar a di-wenwyn. Mawr hoffid H. D. gan bawb. Yr oedd hedd yn ei gymdeithas. Ond wele! Galwyd H. D. at ei wobr â phruddglwyf.

Yna fe ychwanegir y cymal hwn gyda golwg ar ei gyfnod yn y Coleg yn Aberystwyth:

> Pe bai wedi cael aros yno ychydig yn ychwaneg byddai'n ŵr graddedig.

Fodd bynnag y mae sylwadau un a fu'n gyd-weinidog gyda Nhad ar lannau Meirion yn bur herfeiddiol a chignoeth ei eiriau. Ymhlith pethau eraill mae'n sôn am ddiffyg 'caredigrwydd' rhai o'r 'saint', a'r 'cyflog isel' a'i gwnâi hi'n anodd i gynnal y teulu. Meddai am fy nhad:

> Torrodd ei galon a daeth llesgedd corff yn sgil hynny nes i'r Cancr afael ynddo a'i ddwyn i dref.

Bu farw fy nhad ar Fehefin 10fed 1924 yn 52 mlwydd oed ac fe'i claddwyd ym mynwent Eglwys y Bedyddwyr, Llansilin ger Croesoswallt.

FY MAM
LAURA DAVIES JONES

Yr oedd fy mam yn ferch i Robert ac Ann Owen, Penybont, Llanbedr, Meirionnydd. Yn gynnar iawn dechreuodd fel *Pupil Teacher* gyda'r Babanod a chael ei dyrchafu wedi hynny yn *Supplementary Teacher*. Ym mis Mehefin 1912 priododd â nhad, y Parchedig Hugh Davies Jones yng nghapel Salem Cefncymerau. Ond ymhen deuddeng mlynedd union i'r mis hwnnw bu farw fy nhad. Dilynwyd hynny gan gyfnod anodd o hiraeth, gwendid iechyd a pheth tlodi.

Fodd bynnag, ymhen tair blynedd wedyn fe'i hapwynt-iwyd yn athrawes gyda'r Babanod yn Ysgol y Cyngor, Llanfair, Harlech ac yno y bu hyd nes iddi ymddeol. Prin oedd y cyflog bryd hynny ond fe fu hi yn fam ac yn dad i ni gan ofalu ein bod yn cael addysg dda. Ymddangosai fel person tawel a di-gyffro ond, mewn gwirionedd, yr oedd hi'n gryf o bersonoliaeth ac yn gadarn ei barn. Ystyrid hi yn ferch lân ei gwedd – er na chredaf bod hynny'n golygu rhyw lawer iddi. Cofiaf ein bod fel teulu un haf yn y tridegau yn Aberystwyth, pan ddaeth gŵr bonheddig at fy mam a holi ai hi oedd un *Film Star* arbennig a oedd yn amlwg yn boblogaidd ar y pryd. Doedd neb ohonom wedi clywed sôn am y Seren honno ac yr oedd byd y Pictiwrs yn ddieithr inni! Wn i ddim sut y teimlai'r gŵr bonheddig hwnnw pan glywodd fy mam yn ei ateb yn Gymraeg.

Bu hi'n fawr ei gweithgarwch gyda'r Capel a'r Ysgol Sul ac fe âi'n flynyddol i arholi'r plant ieuengaf yn yr Arholiad Llafar i fannau fel Dolgellau, Trawsfynydd a Phenrhyn-deudraeth. Llogi tacsi i'r siwrnai a gofalu bod ganddi finciag neu ddau ar gyfer pob plentyn. Gweithiodd yn ddygn yn ogystal gydag Adran Urdd Gobaith Cymru yn y pentre a hynny'n bennaf er mwyn cadw diddordeb y plant.

Yn ei saithdegau bu wrthi yn ysgrifennu Atgofion ei

dyddiau cynnar o gwmpas tro'r ganrif o'r blaen, ac fe ym-
ddangosodd y gyfres yn *Seren Cymru* yn ogystal ag yn y papur
bro, *Llais Ardudwy*.

Buom yn ffodus o gael ei chadw hyd at oedran teg. Bu farw
yn Awst 1977 yn 90 oed.

1887

FY CHWAER
ANNIE DAVIES EVANS

Ganed yn Llanbedr, Meirionnydd yn 1913. Am resymau na allaf eu hesbonio galwem hi wrth yr enw Annie Davies a hynny o fewn cylch y teulu, ei ffrindiau ysgol a'r cymdogion. Byddai'r cymysgedd hwn o'r enw cyntaf a'r cyfenw yn achosi problem o bryd i'w gilydd. Y gwir yw na allai hi oddef yr enw Annie. Yn ystod ei chyfnod olaf yn Ysgol Sir y Bermo fe roes ei bryd ar y Maes Cenhadol ond oherwydd amgylchiadau'r teulu ni chyflawnwyd y ddelfryd honno. Serch hynny fe'i hetholwyd yn Llywydd yr S.C.M. (Mudiad Cristnogol y Myfyrwyr) yn 1934 pan oedd yn fyfyriwr yn y Coleg Normal ym Mangor. Roedd hi hefyd yn Bregethwr Cynorthwyol cydnabyddedig gan iddi basio arholiadau caeth Undeb y Bedyddwyr, sef yr A, B ac C.

Bu'n dysgu yn Aberdyfi, Tanygrisiau a Thalsarnau ac yn ddiweddarach yng Nghwm Tawe. Yn 1960 priododd â'r Parchedig W. R. Evans a symud i Ystalyfera am gyfnod cyn ymddeol i Ardudwy.

Byddai un o ddarllenwyr papur bro *Llais Ardudwy* yn cyfeirio ati fel 'dynes geiriau', a dyna yn wir beth ydoedd. Yr Ysgrif oedd ei hoff ffurf. Fe ysgrifennodd ddwsinau o ysgrifau ac ennill mewn eisteddfodau fel Pantyfedwen, Môn a Dyffryn Conwy, ymysg eraill; yn ystod yr wythdegau fe enillodd ddwy Fedal a Choron am ryddiaith.

Bu hi farw yn Ebrill 1999.

COFIO CLWYD
ROBERT CLWYD PARRY

Bu farw Awst 29ain 1960
yn 45 mlwydd oed

Yn gynnar yn y pedwardegau daeth gŵr ifanc tal o Ddyffryn
Clwyd yn fyfyriwr i Adran Ddiwinyddol Coleg y Brifysgol,
Bangor a'i fryd ar y Weinidogaeth gyda'r Presbyteriaid.
Roedd Clwyd yn fachgen hawddgar a dewr. Oherwydd
anghaffael yr *epilepsy* a'i goddiweddai o bryd i'w gilydd bu
raid iddo droi cefn ar y bwriad gwreiddiol. Ond doedd dim
gronyn o chwerwder yn perthyn iddo.

Bu'n gweithio yn Swyddfeydd y Cyngor yn nhref Rhuthun
wedi hynny gan weinidogaethu yn yr eglwysi ar y Suliau. O
hynny ymlaen caed cryn sefydlogrwydd yn ei yrfa ac i raddau
helaeth yn ei iechyd.

Am gyfnod o bymtheng mlynedd bûm innau yn athrawes
yn Ysgol Brynhyfryd, Rhuthun. O ddyddiau'r Coleg fe
fyddai'r ddau ohonom yn rhannu'r un meddylfryd a theyrn-
garwch i'r *Pethe*. Rhyddfrydwr oedd Clwyd yn y bôn ond fe
fyddai'n ymuno â rhyw ddwsin ohonom – aelodau o'r Blaid
Genedlaethol – yn nhŷ Miss Olwen Vaughan ger Ysgol
Brynhyfryd. Prif ysbrydoliaeth y cyfarfyddiadau hynny
fyddai presenoldeb Gwilym R., fel y galwem ef, a Mathonwy
Hughes o Wasg Gee. Fe fyddai sgons ffres Olwen Vaughan yn
rhoi blas da ar y cwbl.

Yn y cyfnod hwn hefyd byddai'r Prifardd Gwilym R. Jones
yn cynnal Dosbarth Llenyddol yn Ysgol Brynhyfryd a chaed
sawl seminar diddorol yn trafod cyfrol *Cerddi'r Gaeaf*, Robert
Williams Parry, a gafodd ei chyhoeddi yn y pumdegau.

Gydag amser fe dyfodd y cyfeillgarwch hir yn fater o
gariad rhwng Clwyd a minnau ac yr oedd yr haul yn tywynnu
arnom. Yn y gwanwyn yn 1960 aethom ar siwrnai i'r Rhyl yn
unswydd i bostio llawysgrif y llyfr *Fy Hen Lyfr Cownt* –

dyddiadur dychmygol yr emynyddes Ann Griffiths – i Swyddfa Eisteddfod Genedlaethol Caerdydd. Pam mynd 'belled â Rhyl, wn i ddim!

Yn nechrau Awst fe enillodd y llawysgrif honno i mi Fedal Ryddiaith yng Nghaerdydd, ac yr oedd y llawenydd yn fawr. Ymhen llai na mis wedyn bu farw Clwyd ac fe aeth y llawenydd yn deilchion. Roedd Clwyd yn ŵr poblogaidd iawn a gellid tybio bod y Dyffryn i gyd wedi dod i'r angladd yn Llanfair Dyffryn Clwyd ond na welais wyneb neb ohonynt.

Wedi digwyddiad haf 1960 cefais hi'n anodd i aros yn Nyffryn Clwyd ac ymhen tair blynedd daeth y cyfle i symud i lawr i Went fel darlithydd yng Ngholeg Caerleon.

Yng Ngwent, cael bod ymröi i ysgrifennu pan ddoi'r cyfle yn foddion o ryddhad, a darganfod bod ffurf y Dyddiadur yn cymell ei hun yn esmwyth i'r deunydd. Ceir amlygiad arbennig o hyn yn y ddwy gyfrol *Lleian Llan Llŷr* (1965) a *Dyddiadur Mari Gwyn* (1985).

90

Y Llyfr Ymwelwyr

Dechreuodd fy mam gadw Llyfr Ymwelwyr ym mis Mawrth, 1947 – yn ein cartref, Glynor, Llanfair, Harlech – ar amgylchiad arbennig yn hanes eglwysi Bedyddwyr Glannau Meirion. Trysoraf innau ef o hyd.

O fewn y clawr ceir dau gwpled cynganeddol o gyfarchion gan y Prifardd Llwyd Williams a hynny yn ei lawysgrifen ef ei hun. Mae'r llinell gyntaf, wrth gwrs, yn cyfeirio at fy chwaer, Annie a minnau:

> *Aelwyd Ann a Rhiannon,*
> *Ni wêl twyll yr aelwyd hon.*
>
> *Yma mae hedd eu mam hwy*
> *A'i threm mor lân â'i thramwy.*

Gyda llaw fe geir y cwpled olaf ar garreg fedd ein mam yn Llansilin ger Croesoswallt.

Wrth ddethol ohono enwau rhai o'r degau a'i llofnododd, canolbwyntiais yn bennaf ar y pedwardegau a'r pumdegau:

Mawrth 29ain 1947:
W. T. LLOYD-WILLIAMS, YSGRIFENNYDD CENHADOL.
MAY WYNNE JONES [Mrs Dai Bowen], PORTHMADOG.
EVA T. LEWIS, PORTHMADOG.
E. FRANCES WILLIAMS, HARLECH.

Ar y diwrnod hwn sefydlwyd Cymdeithas Pobl Ieuanc Eglwysi Bedyddwyr Glannau Meirion gydag Annie Davies Jones, Llanfair, Harlech (fy chwaer) yn ysgrifennydd. Bu hi'n ddiwyd wrth y gwaith hyd nes iddi symud i Ystalyfera ar achlysur ei phriodas yn 1960. Roedd yno nifer o aelodau blaengar o fewn yr eglwysi bryd hynny a llwyddwyd i gyfannu pob oedran o fewn y Gymdeithas. Caed sesiynau amrywiol o drafod a diddanu a gwahoddwyd pobl o bell i annerch, a cheir rhai o'r enwau yn y llyfr hwn; perfformiwyd rhaglenni nodwedd a threfnwyd teithiau i fannau fel Yr Ysgwrn yn Nhrawsfynydd a Dolwar Fach ym Mhowys.

Ebrill 8fed 1947:
Margaret, Mansel a Dafydd.

Ar y pryd roedd y Parchedig Mansel John yn ddarlithydd mewn Athroniaeth yng Ngholeg Harlech.

Mai 9fed 1948:
Margaret Williams. [Trefnydd Senana y Bedyddwyr – merch ymroddgar a dewr iawn.]

Daw'r cofnod hwn â ni at Ysgolion Haf y Cilgwyn (Castell Newydd Emlyn) dros nifer o flynyddoedd. Croeso'r Parchedig Clement Davïes i'r oedfa fore Sul; Y Prifathro Williams-Hughes yn arwain yr Epilog a'r awyrgylch mor ddwys fel y gallem anadlu arno. Y cenhadon yn dod â naws y Meysydd Cenhadol yr oeddem mor gyfarwydd â'u henwau. Teithio i fannau fel y Mwnt a Gwbert ac i lawr i Ogledd Penfro a'r cwbl yn iechyd i gorff ac enaid. Y cwpwl diwylliedig, y Parchedig a Mrs Lloyd-Williams yn gosod graen ar bopeth, ac yna Margaret Williams yn esgus gadw trefn arnom gyda rhyw esgus o wên yn guddiedig yn rhywle.

Bu rhannu sawl cyfrinach yn y Cilgwyn ac fe seliwyd rhai priodasau yno. Blynyddoedd da oedd y rhain.

Mehefin 12fed 1948:
John Hughes, Dolgellau.

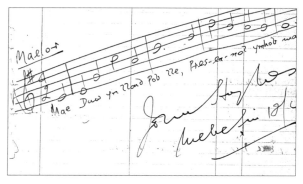

Awst 16eg 1948:

HARRY CROSS A FRANK CROSS, NOTTINGHAM.

Un prynhawn hyfryd eto, hapus iawn i'ch gweld chi oll eto.

Teulu o Nottingham oedd y Teulu Cross. Roedd Frank, y mab, wedi dysgu Cymraeg, sef Cymraeg llyfr! Byddai ei lythyrau a'i sgwrs yn ymdrech barhaus i feistroli gramadeg ac yn enwedig y treigladau. Doedd Cymraeg Byw ddim wedi'i dyfeisio bryd hynny! Byddai Frank a'i briod yn niwedd y pedwardegau yn ymweld yn gyson â gorllewin Meirionnydd ac ardal Llangrannog yng Ngheredigion. Beicio y byddent a chrwydro'r mynyddoedd.

Digwyddai'r tad, Harry Cross, fod yn bresennol gyda'r teulu ym mis Awst 1948. Tynnodd ein sylw at y llenni les patrymog oedd dros ffenestr y stafell a dweud mai ef oedd wedi cynllunio'r deunydd. I brofi'r pwynt tynnodd lun yn y Llyfr Ymwelwyr o'r rhosyn ym mhatrwm y llenni.

Clywais yn ddiweddar y byddai gŵr o'r enw Harry Cross yn ymweld gynt â'r marchnadoedd ac yn gwerthu'r union fath o lenni.

Hydref 2ail 1948:
GWYNFOR EVANS, LLANGADOG.
Bydd sôn am hir flynyddoedd am NOSON LAWEN fawr y Blaid yn Harlech heno.

Gŵr o freuddwyd angerddol ac o benderfyniad ysol. Roedd yna gryn gydymdeimlad â'r Blaid Genedlaethol yn y cyfnod ymysg llawer. Mater arall oedd gosod croes ar bapur etholiad.

Tachwedd 5ed 1948:
M. A J. G. BOWEN, BRONWYLFA, HARLECH.

Hwyl fawr gyda'r pennog
Er eu bod yn rhai blewog!

Yn y cyfnod hwn roedd y Parchedig J. Gwynfor Bowen ar symud o'r ardal i weinidogaethu.

Tachwedd 9fed 1948:
G. WYNNE OWEN, ABERGWAUN.
Dan hud Ardudwy oni fum yn y Gwynfryn a Salem yn nyddiau brafiaf 1948?

Rhagfyr 21ain 1948:
TREBOR MAI THOMAS, SHILLONG, ASSAM.
'Khublei'. Duw a'ch bendithio.

Cenhadwr gyda'r Methodistiaid Calfinaidd ac yn wreiddiol o Batagonia.

Chwefror 7fed 1949:
BOB OWEN, CROESOR, MEIRIONNYDD.
Wedi drycin enfawr ar fy nhaith o Groesor da oedd cael cwpaned te a thalp o deisen i fwyta a thân i ymdwymo.

Yn y cyfnod hwn byddai Bob Owen yn mynychu cyfarfodydd o Gyngor Meirionnydd ar bnawn Sadwrn yn Nolgellau. Y broblem fawr oedd ceisio trefnu ei ffordd yn ôl i Groesor. Heddiw byddai yno mewn dim o dro ond golygai oriau o deithio, yn wir mewn cylchdro. Byddai'n dal trên cynnar o Ddolgellau i'r Bermo, ac i osgoi gorfod aros am ddwyawr ym Mhenrhyndeudraeth yn disgwyl am fws i Groesor, deuai i lawr o'r trên hwnnw yn y stesion fach nepell o Glynor, ein tŷ ni. Llond y lle o draethu wedyn. Tynnu ei sgidiau, twymo ei draed o flaen tanllwyth o dân a gofyn am slipars. Gan mai traed cymharol fychan oedd ganddo fe lwyddem i gael rhywbeth i'w ddiddosi. Paned a thamaid o fwyd cyn dychwelyd i ddal y trên hwyrach am y Penrhyn, gan fawr obeithio na fyddai'r bws olaf i Groesor wedi gadael. Gallai'r trên fod yn hwyr weithiau!

Doedd y teithio blinderus yma ar draws gwlad, mewn bws a thrên neu ar droed, nac yma nac acw i Bob Owen. Treuliodd flynyddoedd yn mynd o blasty i blasty ac o lyfrgell i lyfrgell i chwilota am lawysgrifau, yn copïo ac yn olrhain teuluoedd yr hen uchelwyr. Bu ei gyfraniad yn fawr. Un Bob Owen oedd!

Gorffennaf 7fed 1949:

TALDIR O LYDAW. YSGOL FODERN Y MERCHED, MASCARA, GOGLEDD
AFFRIG.
Heulog yw Glynor ac yn rhoi croeso cynnes i hen bererin.

Gŵr hynaws oedd y bardd Llydewig hwn. Roedd rhyw ddirgelwch yn ei hanes yn ystod yr ail Ryfel Byd.

Rhagfyr 5ed 1949:

T. HAYDN JONES, TROSNANT, RHUTHUN.
D. HERBERT DAVIES, ROCK FERRY.

Adeg cynnal Cymanfa Dinbych, Fflint a Meirion, yn y Tabernacl, Harlech. Ar y nos Lun cyflwynwyd Rhaglen Nodwedd ar hanes Salem Cefncymerau. Wrth olrhain hanes sefydlu'r Achos yno deuthum ar draws cyfeiriadau diddorol.
Dyma a gaed mewn copi o *Seren Cymru* (ni wyddys y dyddiad): 'Nid oedd yno Dŷ-Cwrdd hyd 1826'. Cyfeirir hefyd at Sul arbennig yn ystod haf 1824 pan oedd 'cwmni gwledig' o Fedyddwyr o'r ardal yn dychwelyd adre o Oedfa'r Cymun yn Nolgellau. Roedd y daith hon, dros y mynydd tua phymtheng milltir yn ôl a blaen. Fe'u derbyniwyd y noson honno yn 'llawn aelodau'. Y bore Sul hwnnw fe'u bedyddiwyd yn yr 'afon ger Cefncymerau' Eu henwau oedd Robert ac Ann Wynne, Cefncymerau, – y hi, gyda llaw, yn chwaer i'r bardd Robert ap Gwilym Ddu; Marged Parri,

Llwynithel, John Lloyd a Thomas Thomas neu Twm yr Hwntw fel y gelwid ef. Gŵr o Bontbrenaraeth yn Sir Gaerfyrddin oedd yr olaf, ac yn llanc fe ddywedir iddo ffoi i Lannau Meirion o flaen y *Press Gang*! Yn ardal Cefncymerau y bu weddill ei oes. Mae'n amlwg bod yr un antur a phenderfyniad yn nodweddu ei waith gyda chrefydd yn ogystal. Roedd yn ŵr ffraeth ei dafod ac yn finiog ei eiriau wrth drafod y Bedyddwyr Albanaidd yn y fro. Boed hynny fel y bo, mae'n amlwg i'r Deheuwr hwn, fel Robert Wynne ac eraill, chwarae rhan allweddol yn hanes sefydlu'r Achos yng Nghefncymerau.

Tua 1826 dechreuwyd addoli yn Rhwng-y-ddwybont, bwthyn Robert Wynne, ychydig islaw'r Capel presennol. Daeth y Parchedig John Pritchard yno o Bwllheli i fugeilio'r praidd. Roedd o hefyd yn wehydd wrth ei waith.

Mae un amgylchiad nodedig iawn yn sefyll allan yn y cyfnod hwn. Un noson arbennig fe gyflwynodd John Pritchard ŵr ifanc i'r gynulleidfa gan ddweud ei fod yn 'ŵr annwyl, yn nodedig iawn am ei sobrwydd a'i ddifrifoldeb'. David Jones oedd enw'r gŵr a dderbyniwyd yn aelod y noswaith honno – gwas yn ffermdy Llandanwg rhyw dair milltir o Gefncymerau. Roedd yn wreiddiol o ardal Penrhyndeudraeth ac wedi bod yn addoli gyda'r Methodistiaid yn Harlech. Hwn oedd y David Jones a aeth wedyn yn fyfyriwr i Athrofa Pontypwl ac a ordeiniwyd yn ddiweddarach yn weinidog yn y Felinganol a Solfach yn Sir Benfro. Gwelwyd addewid yma am ddyfodol disglair a phregethodd yn lle Christmas Evans mewn Cymanfa yng Ngarndolbenmaen. Bu hir sôn am destun ei bregeth bryd hynny – pregethodd ar 'Weinidogaeth Cyfiawnder yn rhagori ar Weinidogaeth Gras'. Ystyrid ef yn un o gewri ifanc pulpudau'r Deheudir. Er mawr dristwch bu farw'r Parchedig David Jones yn ŵr ifanc pymtheg ar hugain oed. Buom wrth ei fedd ym mynwent Capel y Felinganol; daethom o hyd i'r bedd o fewn cyrraedd drws yr adeilad. I mi, y mae stori bywyd David Jones yn 'cyffwrdd-yn-agos-i'r-galon'. O ffenestri yr hen gartref yn Llanfair, Harlech, byddem yn edrych allan ar yr union feysydd y bu ef, fel gwas fferm, yn eu haredig. Wrth ei waith yn y maes dywedid y byddai'n cario copi o'r Testament Newydd yn ei boced!

Tua chanol y bedwaredd ganrif ar bymtheg fe roes y cymwynaswr Robert Wynne ddarn o dir yng Nghefncymerau i godi capel arno. Fe'i rhoes ar les am fil namyn un o flynyddoedd gyda'r *ground rent* yn swllt y flwyddyn. Ymhen deng mlynedd fe helaethwyd yr adeilad ac fe agorwyd Capel Salem Cefncymerau yn swyddogol yn 1861. Bellach cysylltir yr enw 'Salem' â'r darlun gan Curnow Vosper. Mae'n rhaid cydnabod bod y cymeriadau cynnar y buom yn eu trafod yn rhai lliwgar dros ben – nid mewn paent ond o fewn cof y werin. Y nhw sy'n cynrychioli yr hyn a adwaenwn ni fel y gwir Salem Cefncymerau.

Mehefin 6ed 1951:
E. LLWYD WILLIAMS, RHYDAMAN.
Dihafal sylfaen deufyd.

Ionawr 8fed 1952:
W. P. JOHN, CASTLE ST., LLUNDAIN

Roedd Mr John wedi aros noson oherwydd drannoeth byddai'n gwasanaethu yn angladd un o'i aelodau ffyddlonaf, sef Miss Gwen Evans, diacones yng nghapel Castle Street.

Mae gen i gof yn blentyn o weld gwraig fonheddig – oedd gartref ar ei gwyliau o Lundain – yn urddasol ei gosodiad ac yn cario parasôl uwch ei phen. O'i hysgwyddau hyd at ei gwallt claerwyn o fân gyrls, gellid ei chamgymryd am y Frenhines Mary, gwraig y brenin Siôr y Pumed.

Ganed Gwen Evans ym mwthyn Ty'n y Maes ger Eglwys Llandanwg wrth y môr yn y cyfnod pan oedd ieuenctid Glannau Meirion yn tyrru tua Llundain i'r Busnes Llaeth. Ni wn sut y bu i Gwen Evans a'i chwaer gael eu derbyn i wasanaethu yn y plasau brenhinol, y naill yn dechrau ym Mhalas Buckingham a'r llall yng Nghastell Windsor. Roedd i Gwen Evans bersonoliaeth unigryw ac fe'i dyrchafwyd i swydd *Housekeeper* i dduges Efrog, sef y ddiweddar Fam Frenhines. Bryd hynny roedd y ddwy dywysoges yn blant ifanc. Ym meddiant Dora Evans, chwaer Gwen caed pentwr o luniau o'r teulu brenhinol ac yn eu mysg rai o 'Lilibet' a Margaret Rose. Treuliodd Gwen ei hoes yng ngwasanaeth y teuluoedd nodedig hyn.

Câi bleser o adrodd hanes un digwyddiad a roes fawr fwynhad a balchter iddi. Digwyddai bod Cwrdd arbennig yn cael ei gynnal yng Nghapel Castle Street ynglŷn â rhyw elusen, mi dybiaf, a hwnnw'n cael ei noddi gan y Frenhines ar y pryd, sef eto y ddiweddar Fam Frenhines. Byddai Gwen wedi ymddeol erbyn hyn. Er mawr siom methai â chael mynediad i'r capel gan y swyddogion. Ar hynny fe ddigwyddodd gwyrth! Cyrhaeddodd y Frenhines a'i gosgordd, a gwelodd hi fod Gwen yn y dyrfa. Cyfarchodd hi wrth ei henw ac ni allodd yr un swyddog ei rhwystro rhag cael mynediad wedi hynnny.

Claddwyd Gwen Evans yn naear ei hen fro a chadwyd yn guddiedig hefyd, yn sicr, nifer o gyfrinachau'r teulu brenhinol. Gwraig felly oedd hi.

Chwefror 21ain 1952:
D. J. EVANS, SKEWEN.
W. R.EVANS, HARLECH

Y ddau frawd yn y weinidogaeth.

Gorffennaf 19, 1952:
WILLIAM GRIFFITHS, PONOKA, ALBERTA.

Gŵr o'r Ynys, Talsarnau a ymfudodd i'r Gorllewin pell yn nechrau'r ganrif. Priododd â chwaer fy nain. Fel nifer o ymfudwyr datblygodd fferm lwyddiannus allan o dir diffaith yn Alberta.

Rhagfyr 29ain 1952:
ERNEST JONES [Gohebydd *Y Cymro*].
Diolch am orig mewn cartre gwir Gymreig.

Awst 7fed 1953:
ELUNED A NEST A LLWYD.
Trannoeth Eisteddfod y Rhyl a rhaid oedd galw heibio i Glynor.

Llwyd oedd Prifardd y Goron yn yr Eisteddfod hon.

Ebrill 15fed 1956:
GWENNIE DAVIES, MISSION TO LEPERS.
The preaching of the Gospel is just one beggar telling another where
to find Bread.

Rhagfyr 18fed 1958:
LEWIS VALENTINE, RHOSLLANNERCHRUGOG.
Gwae'r hwn a dry'r nos yn ddydd.

Gorffennaf 22ain 1959:
BOB OWEN, CROESOR.
Dechreunos i'w chofio rhwng y salad a'r sgwrsio.

Y diwrnod hwn roedd Bob Owen wedi dod efo'r trên o
Benrhyndeudraeth a'r trefniant oedd ein bod ni yn ei gludo i
blasty Maesyneuadd, gerllaw Glyn Cywarch, cartref
hynafiaid y diweddar Arglwydd Harlech rhwng Talsarnau a
Harlech. Wedi cyrraedd bu yn ein tywys o stafell i stafell gan
nodi'r enwau – enwau lliwiau, mi gredaf – a roddai'r teulu
uchelwrol ar bob un ohonynt. Traethu wedyn ar y bardd
Ieuan Brydydd Hir, y gŵr o Ardudwy yn y bedwaredd ganrif
ar bymtheg. Wedi dychwelyd i Glynor fe orchmynnodd imi
estyn y *Bywgraffiadur Cymreig* o'r cwpwrdd. Ychydig cyn
hynny y cyhoeddwyd y llyfr hwn. Ac meddai: 'Trowch i
unrhyw dudalen a gofynnwch unrhyw gwestiwn imi'. Ac yn
wir roedd yr ateb yn gywir bob tro! Hwn oedd y gŵr di-goleg
a fu'n astudio achau uchelwyr – y rhan yma o Feirionnydd yn
arbennig – bron gydol ei oes, ac a anrhydeddwyd am ei waith
gyda gradd er anrhydedd gan Brifysgol Cymru. Gŵyr pawb
fel y byddai'n dryllio'r delwau ac yn codi nyth cacwn ymysg
ysgolheigion, fel a ddigwyddodd ynglŷn â chyswllt yr
Archddiacon Edmwnd Prys â'r Gerddi Bluog. Ond stori arall
yw honno!

O sôn am y Gerddi Bluog, daw i'm cof y bennod honno ar
y Gerddi Bluog yn y llyfr *Cartrefi Cymru* gan O. M. Edwards.
Cerddodd ef y filltir hir o Harlech yno. Wrth ymadael fe
ddywed iddo ddiolch i wraig y fferm am ei chroeso ac yna
ceir y sylw ganddo bod y teulu yn perthyn i enwad y
Bedyddwyr Albanaidd yn Harlech. Roedd y ffaith yma,

mae'n amlwg, yn fater o chwilfrydedd yn y cyfnod. Ar lafar fe fathwyd y geiriau 'Batus Bara Caws' am ddilynwyr J. R. Jones, Ramoth. Mae yma eco o'r rhwyg a'r ymgecru a fu yn ardal Harlech bryd hynny ymhlith y Bedyddwyr.

Gofynnodd un Saesnes a ymsefydlodd yn yr ardal y cwestiwn 'What is meant by Baptist Bread and Cheese?' Yr ateb i hyn, wrth gwrs, yw nad oedd ond dau gapel i'r Bedyddwyr Albanaidd yn yr ardal, ac y byddai'n ofynnol i'r aelodau a deithiai o bellter ddod â thamaid o fwyd i'w canlyn ar gyfer y saib rhwng oedfaon y pnawn a'r nos.

Mae'r Eglwys Albanaidd yn Harlech heddiw gyda'r mwyaf llewyrchus yn y fro, a hynny heb fod ymhell o ddau can mlynedd wedi marw J. R. Jones, Ramoth. Mae'r chwerwder a fu gynt wedi troi'n fath ar chwilfrydedd ymysg yr ardalwyr a phan fo rhyw ddathliad arbennig yn eu plith bydd y capel yn rhwydd lawn. Bellach mae'r Bedyddwyr Albanaidd yn rhan o batrwm y Suliau Undebol a gwelwn newid pulpudau. Ac eto, nid yw'r maglau wedi eu torri o bell ffordd. Fe erys parch aruthrol at y gwreiddiau, hyd yn oed heddiw, oblegid byddai'r cof am y rhwyg a'r alltudio enwadol yn fyw iawn i'w teidiau. Gall yr hen wron o Ramoth orffwys yn dawel.

Awst 12fed 1960:
ROBERT CLWYD PARRY, PENTRECELYN, RHUTHUN.

Ychydig a feddyliem bryd hynny y byddem yn ei angladd yn Llanfair Dyffryn Clwyd cyn pen tair wythnos. Sylwaf fy mod innau wedi dyfynnu llinell o waith R. Williams Parry yng ngholofn y Sylwadau, sef:

Mae'r haf wedi marw hefyd.

Medi 3ydd 1961:
E. TEGLA DAVIES, BANGOR,
DR GWENNIE WILLIAMS, TRAWSFYNYDD [meddyg bro ym Mhenrhyndeudraeth].

Dyma Sul i'w gofio. Yn y bore roedd Tegla yn pregethu gyda'r Wesleaid yn Nhrawsfynydd. Aeth Dr Gwennie ag o wedyn ar daith i Ddolwar Fach. Yna galw acw yn Glynor,

Llanfair ar y ffordd yn ôl, cyn dychwelyd eto i Drawsfynydd i recordio un o sgyrsiau Tegla i'r rhaglen *Wedi'r Oedfa*. Yr haf hwn roedd fy llyfr *Fy Hen Lyfr Cownt*, sef dyddiadur dychmygol ar Ann Griffiths, newydd ddod o'r Wasg ac yr oedd y gŵr hynaws, Tegla, yn benderfynol o hybu awduron ifanc. Yn ei gyfnod ef, braint y dethol-rai o fewn y Sefydliad oedd cael bwrw llinyn mesur ar waith awdur.

Awst 18fed 1967:
DILYS CADWALADR, SUNTUR, RHOSLAN.
Heno'r hwyrol gloch ni chân.

Llenor o bersonoliaeth liwgar a gwraig oedd yn mynnu torri'r confensiynau. Bu hithau o dan lach y Sefydliad mewn cyfnod pan oedd *Baner ac Amserau Cymru* ar eithaf ei phoblogrwydd o dan olygyddiaeth Gwilym R. a Mathonwy Hughes – cyfnod pan fyddai mawr ddisgwyl am gael darllen ysgrifau Saunders Lewis yn *Y Faner*. Yn niwedd y pedwardegau y cyfarfûm â Dilys Cadwaladr gyntaf. Treuliodd rai blynyddoedd yn athrawes yn Ynys Enlli a chredai fod y mynaich yn rhyw gynhyrfu o gylch yr ynys ar awr Gosber!

Un pnawn Iau adeg y cadeirio ar lwyfan yr Eisteddfod fe sibrydodd yn fy nghlust y geiriau hyn: 'Pan fydd hwn-a-hwn neu hon-a-hon farw mi dynnaf innau fy ngwaith allan o'r gist!' Fel y digwyddodd, Dilys ei hun a fu farw gyntaf.

Roeddwn i yn ei hangladd yn eglwys Llanrug ar bnawn Sadwrn o oerni trybeilig pan oedd trwch o eira ar Eryri. Criw bychan oeddem yn yr Eglwys ond fe lwyddodd llais hyfryd y Ficer i gynhesu peth ar y galon. Cerdded wedyn yn orymdaith unig gyda wal y fynwent i fyny ar y boncen lle roedd y bedd yng ngolwg y mynyddoedd.

Ie, meddwn, criw bychan oeddem y pnawn hwnnw, ond fyddai hynny nac yma nac acw i Dilys bellach. Roedd hi eisoes wedi cael ei hawr fawr yn seremoni ennill Coron yr Eisteddfod Genedlaethol, a hynny i fonllefau byddarol tyrfa'r Pafiliwn.

Ebrill 7fed 1967:

CERI DAVIES, HARLECH.

Melys moes mwy.

DYDDGU OWEN, DROS-Y-MÔR, HARLECH.

Dim gobaith teneuo.

Sylwadaeth ar y bwyd yn sicr! Fel mater o ddiddordeb fe sylwn bod Dyddgu, yn un o'i llyfrau taith, yn disgrifio ei hymweliad hi a Ceri â bedd y cenhadwr, John Davies yn Tahiti. Bu ef farw yn 1855 yn 83 oed. Yn ŵr ifanc roedd yn gyfaill mawr i John Hughes, Pontrobert ac Ann Thomas, fel yr oedd Ann Griffiths bryd hynny. Aent yn garfan dros y Berwyn i Gymdeithasfa'r Bala. Penderfynodd John Davies fynd i'r Maes Cenhadol yn dilyn cyfnod o ddysgu yn ysgolion Thomas Charles. Ffarweliwyd ag ef yng Nghapel Pontrobert yn Ebrill 1800 ac yr oedd y gwron Thomas Charles yn bresennol. Rhoeswn rywbeth am gael bod yn y cyfarfod hwnnw, lle roedd yn sicr gymysgedd o lawenydd a thristwch. Dywedir i John Davies, neu John Pendugwm fel y gelwid ef yn lleol, fynd â'i wraig gydag o. Anodd dychmygu beth fyddai ymateb y ferch ifanc o Faldwyn o lanio ymysg y brodorion hyn. Yn aml fe fyddai'r gwragedd ifanc hyn yn marw yn gynnar yn yr hinsawdd newydd. Bu John Davies byw yn y wlad ddiarth am dros hanner can mlynedd a llafuriodd yn galed yn cyfieithu rhannau helaeth o'r Testament Newydd i iaith y brodorion. Ymhen tua chanrif wedi'i farwolaeth roedd merch arall o'r un fro ym Maldwyn yn sefyll wrth ei fedd. O adnabod Dyddgu, rwy'n sicr y bu'r foment honno yn wefr arbennig iddi.

★ ★ ★

Daeth yr amser i minnau roi'r Hen Lyfr Ymwelwyr i'w gadw eto. Dros y blynyddoedd fe fu sawl llaw yn troi'r tudalennau ac fe gwyd cymysgedd o dristwch ac o lawenydd i'r galon. Mae'r cyfnod o 1947 hyd 1960 yn dystiolaeth i lafur a brwdfrydedd di-flino fy niweddar chwaer, Annie Davies Evans gyda phob mudiad y bu hi'n rhan ohono. Ar ôl 1960, pan briododd â'r Parchedig W. Rhys Evans a symud i

Ystalyfera, bylchog yw cynnwys y Llyfr Ymwelwyr ar wahân i enw ambell lenor diddorol adeg gwyliau'r haf.

O edrych yn ôl, sylwn fod y pumdegau yn gyfnod hynod o gyfoethog o safbwynt yr Enwad, yr Iaith a breuddwydion rhai o'r gwleidyddion.

Yn wir, gadawodd y llu pobl hyn gynhysgaeth ar eu holau ac ni ellir ond dweud mai 'Da oedd cael eu hadnabod'.

LLECHOLLWYN

Yn niwedd dauddegau'r ganrif roedd fy mam, fy chwaer a minnau yn bwrw'r Sul yn fferm Llechollwyn – 'Chollwyn ar lafar – yn Yr Ynys, Talsarnau. Gall fod a wnelo Collwyn ap Tango â'r lle hwn, y gŵr yr olrheinir llinach nifer o'r hen uchelwyr iddo. Yn 'Chollwyn roedd cartref Nel Davies a'i chwaer Jane, cyfnitherod fy nain a chwiorydd y cyfeiriodd y gŵr llengar, Mr John Watcyn Jones, atynt yn ei ysgrifau diddorol i *Seren Cymru*. Roeddynt yn Fedyddwyr selog ac yn gynheiliaid yr Achos yn Nhalsarnau dros y blynyddoedd. Byddai yno hwyl a chroeso i Weinidogion a hynny a gafodd fy nhad yn ei gyfnod cynnar yng Nglannau Meirion. Deuai sawl cennad o bulpudau'r Sowth, a'r North o ran hynny, i gynnal Cyrddau Pregethu. Ymhlith y 'sêr' i Nel Davies safai'r Parchedig R. B. Jones, yr Efengylydd o'r Rhondda yn uchel ar y rhestr.

Mae'n amlwg fod cryn lawer o waith cartref wedi'i wneud gogyfer â threfnu'r penwythnos hwn oblegid ar y nos Sul roedd un o sêr pulpudau'r Gogledd yn cadw Cyfarfod Pregethu ym Mhenrhyndeudraeth. Y gŵr oedd y Parchedig J. S. Jones, Colwyn Bay. Ond sut yr aem i'r Penrhyn? Doedd na bws na modur i'w cael bryd hynny a doedd yr un trên yn rhedeg ar y Sul. Yr unig ddewis oedd croesi'r traeth, sef y Glastraeth mae'n debyg, pan oedd y llanw allan. Gallai fod llawer o beryglon yn y fenter ond mae'n amlwg bod teulu 'Chollwyn, dros y blynyddoedd, yn gyfarwydd â'r siwrnai. Fe wŷr y cyfarwydd hefyd fod y môr, adeg llanw uchel, yn gwthio allan yn fygythiol yn yr Ynys. Clywais wraig o Harlech yn adrodd yr hanes fel y bu i gwch droi drosodd ac i'r teithwyr foddi. Yn niwedd y dauddegau hefyd cododd storm enbyd o'r môr gan dorri'r llifddorau. Llifodd y dŵr i'r tai a thros y tir gan foddi'r anifeiliaid. Mewn cyfnod blaenorol, fe fu Ellis Wynne o'r Las Ynys, yn yr un ardal, yn cyfreithio llawer ar fater y Cloddiau-Llanw.

Ni chofiaf i odid ddim am y croesi dros y traeth ar nos Sul y Cyfarfod Pregethu pan oedd Rhagluniaeth yn gofalu bod y llanw o'n tu. Fodd bynnag fe gefais yr hanes gan fy mam. Meddylier am y tair gwraig a'r ddwy eneth ifanc yn cerdded y traeth – rhai ohonynt yn droednoeth – ac yn y wisg dydd Sul. Yr het ar y pen, y menyg a'r 'casgliad' wedi eu gwthio i boced y gôt; cario'r sgidiau, a'r sanau hirion yn blyg ynddynt.

Ond sylwer, nid oeddem heb ein tywysydd a hwnnw yn ŵr o'r Ynys ac yn hen gyfarwydd â symudiadau y trai a'r llanw. William Jones, Pensarn oedd y gŵr. Roedd gennym ar y pryd enw o anwyldeb arno ond na allaf ei gofio bellach. Yn ôl fy mam roedd y dŵr yn ddwfn yn un rhan o'r traeth a doedd yr un modd inni groesi heb i'n tywysydd caredig ein cario fesul un i'r ochr draw! Mae'n sicr bod hyn yn rhan o arferion trigolion yr Ynys dros lawer canrif.

Yn ddiweddar bûm yn trafod gyda chyfeillion ynglŷn â'r man lle byddem yn debygol o gyrraedd y tir mawr. Byddai hynny'n sicr gryn dipyn i'r de o'r Tyrpeg, sef Pont Briwet, oblegid mai o dan y bont hon y mae afon Dwyryd yn llifo i'r môr. Wedi dod i'r lan byddai'n rhaid cymoni cyn cerdded ar y gwastad hyd stesion y Penrhyn. Dringo'r rhiwiau wedyn nes cyrraedd Capel Bethel. Ni wn pa argraff a gafodd dyfodiad Pererinion Yr Ynys i'r oedfa, na sut olwg oedd ar eu traed, ond yn sicr roedd yr adeilad yn rhwydd lawn.

Ond tybed a wyf yn damcaniaethu ac yn dychmygu pethau? Na! *Yr oeddwn i yno!* Cofiaf am y cennad golygus yn y pulpud, y gŵr gyda'r gwallt gwyn tonnog yn torri allan i ganu mewn llais rhyfeddol ar ddiwedd ei bregeth. Y gŵr hwnnw oedd yr enwog J.S. Colwyn Bay, fel y gelwid ef. Prin y cafodd Anti Nel, 'Chollwyn gyfle i ysgwyd llaw y noson honno â'r Parchedig J. S. Jones er cymaint o arwr oedd o iddi. Gallai'r *llanw* roi taw arni hithau! Mae'n debyg inni groesi 'nôl dros y traeth yn ddiogel yn yr un modd ag y daethom. Eto yr oedd yno wahaniaeth gan fod naws nefolaidd yr oedfa yn lleddfu blinder y daith. I swper y noson honno fe goginiodd William Jones bryd blasus inni o bysgod, sef y 'lledan' y byddai'n arferiad gan hogiau'r Ynys eu dal.

Ni allaf ond ymfalchio yn y ffaith i mi gael profi rhywbeth o antur y tadau yn y bererindod dros y traeth ar y Nos Sul arbennig yna. Diolch hefyd i mi gael dal ar rywfaint o arddeliad y Ffydd cyn i'r llanw ddechrau troi ar y Dystiolaeth o'r Gair yn ein heglwysi.

Yr Eiliadau Prin

Fel y mae oedran yn cerdded ymlaen a'r golwg yn gwanhau mae'n syndod fel y mae cyfoeth y cof yn brigo i'r wyneb, a rhaid yw dal ar *yr eiliadau prin* cyn iddynt ddiflannu'n llwyr. Cofio fy mod yn eneth fach yn y dauddegau yn rhyw lithro cerdded hyd lwybr sych yr hafau poethion ers talwm. Felly yr oedd hi wrth gerdded dros Barc Dolbebin rhwng cartref fy nain yn Ardudwy a Chapel Salem Cefncymerau. Neidio dros y llwybr morgrug cyn cyrraedd y gamfa ger hen fwthyn Werncrai nes dod at y garreg fawr wrth dalcen y Tŷ Capel. O dan y garreg hon y cuddiai nain ei chlocsiau ar dywydd gwlyb cyn newid i'w sgidie Sul. Yn y capel, gwrando ar Tom Bach, sef Thomas Jones, Pentre Gwynfryn ar ei liniau yn gweddïo yn ei sedd ei hun, ac yr oedd blas Diwygiad 1904–05 yn ei eiriau.

Capel Salem Cefncymerau

Ar Sul braf yn yr haf byddai drws pellaf y Capel ar agor a gellid clywed sŵn afon Artro islaw yn gefndir hyfryd i'r oedfa. I lawr yn y fan honno hefyd yr oedd y Llyn Bedyddio.

Ceir carreg yn y fan hyd heddiw yn dynodi'r lle gyda'r llythrennau BEDYDD-FAN arni. Yma dros y degawdau y bedyddiwyd aelodau'r tair eglwys: Salem Cefncymerau, Dyffryn Ardudwy a Llanbedr. Yn ôl fy mam fe fyddai fy nhaid, Robert Owen, Penybont yn glanhau'r Llyn Bedyddio ar y pnawn Sadwrn cyn y Sul arbennig hwnnw.

Mae yn fy meddiant lun o fedydd fy chwaer – Annie Davies Jones, fel yr oedd hi bryd hynny – ym Mehefin 1928. Prin y gwelir ei hwyneb o dan y dŵr ond y mae'r ffrog wen yn weladwy. Cadwyd y ffrog gyda'r patrymau mewn edeuon trwchus hyd ei godreon am flynyddoedd wedyn yn ein cartref. Buasai fy mam yn pwytho rhes o fotymau pres hyd waelodion y wisg i'w chadw i lawr wrth i'm chwaer godi o'r dŵr. Roedd cadw gwyleidd-dra yn dra phwysig yn yr Ordinhad o Fedydd. Yn y llun gwelir y diacon yn sefyll ar garreg gweddol lefn ac yn dal tywel yn ei law i sychu wyneb y sawl a fedyddid wrth iddo godi o'r dŵr. Rhaid cyfaddef mai rhyw broses digon gwlyb yw busnes y bedyddio yma, a pha ryfedd y byddai'r rhai ifanc yn rhedeg am eu bywyd i fyny'r boncen am y Tŷ Capel! Yno caent eu diddosi a newid i ddillad sychion.

Mae gennyf ddiddordeb personol yn y darlun o'r Bedydd gan fy mod yn blentyn rhyw chwemlwydd yn sefyll uwch ben yr afon ac yn union o flaen y dyrfa. Socs gwyn bychain ac esgidiau *patent-leather* am fy nhraed; ffrog binc gyda mân batrymau o flodau drwyddi – yr orau a gefais erioed. Prynwyd y deunydd yn y siop ddillad ym mhentre Llanbedr a'i wnïo'n wisg gan Miss Lloyd y wniadwraig. (Ceid siop ddillad yn y dyddiau hynny mewn pentre o faint Llanbedr. Cofier bod teithio i fannau fel Y Bermo yn fusnes anodd bryd hynny.) Het gorun uchel o wiail main wedi'i blethu am y pen. Nid yw'r wyneb yn y golwg gan fy mod wedi troi at olygfa'r Bedydd ac wedi fy llwyr gyfareddu, gallwn feddwl.

Gyferbyn â ni a thros yr afon yr oedd y ffordd wlad yn arwain i fyny i Gwmbychan a'r *Roman Steps* wrth droed y Rhinogydd. Ar bnawn Sul y Bedydd fe fyddai plant Ysgolion Sul y Calfiniaid a'r Wesleaid o Bentre Gwynfryn wedi casglu i wylio rhyfeddod y Bedydd Trochiad. Pwysent ar wal gerrig y ffordd gyferbyn a'r eiliadau mwyaf gwefreiddiol oedd clywed y dyrfa yn torri allan i ganu ar lan yr afon:

Dilyn Iesu, dilyn Iesu,
Dyma nefoedd teulu Duw.

Cystal cyfaddef na chefais i yr un boddhad o'm bedydd fy hunan. Bu hynny ar fore oer ym mis Ionawr mewn capel eang nad oeddwn wedi fy magu ynddo. Roedd hyn ar gyfnod pan oedd pwysau arholiadau a thensiynau yn broblem yn yr arddegau. Deubeth sy'n aros yw'r oerni a gwacter y galeri uwchben. Arna i yr oedd y bai ac ar neb arall! Bûm yn meddwl droeon wedi hynny y caraswn gael fy ail fedyddio yn afon Artro ar bnawn braf o haf. Ond pwy a allai warantu tywydd braf imi ym mis Lli Awst? Cofiaf weld afon Artro, ger tŷ fy nain, yn drochion melynfrown adeg y llif. Pwy, meddech chi, a benderfynodd gynnal yr Eisteddfod Genedlaethol ar yr union adeg yma o'r flwyddyn? Does ryfedd ein bod wedi cartrefu efo'r glaw a'r mwd!

Unwaith eto dyma ddychwelyd at y llun hwnnw o'r Bedydd y cyfeiriais ato cyn hyn. Bellach mae ynof y teimlad imi, yn niwedd y dauddegau, gael cyd-gyfranogi o Fedydd fy chwaer yn yr awyr agored. Yn y cyfnod hwn ger afon Artro fe heuwyd ynof yr ymdeimlad o awyrgylch pethau a chydag amser fe ddatblygodd hyn yn rhywbeth *Cyfriniol*. Dyma'r peth a fu'n cyfeirio fy mywyd byth wedyn.

Fel yr oedd y ganrif yn cerdded ymlaen fe welwyd lleihad yn nifer y bedyddiadau. Fodd bynnag, yn haf 1946 bedyddiwyd chwech o ieuenctid gan y Parchedig Gwynfor Bowen, oedd yn weinidog yn Llanfair a Harlech bryd hynny. Mae'n debyg bod dŵr yr afon yn bur ddwfn ar ddiwrnod y bedydd a bod ffotograffydd yn bresennol yno o bapur *Y Cymro*. Ymddangosodd llun o'r bedydd hefyd yn un o bapurau Cymry'r Amerig.

Y tair merch a fedyddiwyd bryd hynny oedd Mrs Meinir Lloyd Lewis, Caersalem, Llanfair a Misses Elizabeth a Catherine Richards, Salem Cefncymerau. Yma ni allaf ond datgan clod arbennig iawn i ddycnwch a dyfalbarhad y chwiorydd hyn yn 'cadw'r drws ar agor' yn eu heglwysi. Mae Meinir yn ysgrifennydd yng Nghaersalem, Llanfair yn ogystal â bod yn ysgrifennydd Undeb Eglwysi Glannau Meirion. Yn yr un modd mae Elizabeth a Catherine yn trefnu gwasanaethau yn Salem Cefncymerau. Maent hefyd yn parhau'r traddodiad gloyw o groesawu ymwelwyr o bob rhan o Gymru i 'Salem' y darlun gan Curnow Vosper. Bu dirywiad mawr yn eglwysi'r Glannau erbyn hyn a bychan yw rhif yr aelodaeth.

Gyda golwg ar Salem Cefncymerau cofier mai nifer bychan o bobl a gychwynnodd yr Achos yno yn 1840. Bryd hynny byddid yn cwrdd yn y Tai Croesion wrth odre'r rhiw sy'n arwain heddiw at safle'r Capel presennol – ond ceir sôn am hynny eto.

Yn y cyswllt hwn rheidrwydd yw cyfeirio at y gyfnither, Mrs Janet Hayward, a fu farw yn nechrau haf 1999 wedi cyfnod o hanner can mlynedd fel ysgrifennydd eglwys Salem Cefncymerau. Y mae'r graen a geir hyd heddiw yn dyst i'w gwarchodaeth gyson. Ond yn bennaf fe'i cofir gan y llu o Gymry o dde a gogledd a thu hwnt a fu'n ymweld â 'Salem' y darlun. Hi oedd y 'Siân Owen' a fyddai'n aros amdanynt wrth ddrws y capel, wedi'i gwisgo yn yr het dalcen uchel a'r siol. Mae'n bosib bod Janet yn gwisgo'r union siol ag a wisgodd Siân Owen. I bwrpas y darlun yn 1908 benthyciwyd un gan wraig Rheithor Harlech. Trosglwyddwyd y siol i Janet gan y diweddar offeiriad o Ddyffryn Ardudwy sef y Canon Williams, brawd y cerddor, Meirion Williams. Roedd Janet yn adroddreg dda a byddai'n adrodd y soned 'Salem' o waith y bardd T. Rowland Hughes; yr hyn oedd yn denu'r gwrandawyr oedd ei dull cartrefol o draddodi gydag iaith ac acen y fro sy'n ymestyn i'r mynyddoedd i'r cefndir o bentref Llanbedr. Yma mae 'a' agored Môn ac Arfon yn troi'n gyfuniad o 'a' ac 'e' heb fod y naill na'r llall. Gwelwyd hefyd gynnwys yr 'i' rhwng y gytsain 'c' a'r llafariad. Dydw i ddim yn ieithydd ond fe allasai astudiaeth o iaith y rhan yma o Ardudwy mewn cyfnod a fu fod wedi diddori ieithyddion. Wrth symud i lawr y glannau tua'r Bermo, ac yn enwedig hyd at Lwyngwril, byddai'r math hwn o ieithwedd yn llawer mwy eglur. Rwy'n siomedig na fu i mi recordio sgwrsio fy nghyfnither Janet pe bai ond i glywed ei hacen. Roedd hi wedi byw ei hoes yn ei bro enedigol.

Bedydd fy chwaer yn afon Artro – Mehefin 1928

Cyfeiriais ar y cychwyn at fedydd fy chwaer yn afon Artro ar ddiwedd dauddegau'r ganrif o'r blaen. Ni ddaeth cyfle cyffelyb i mi wedyn hyd wythdegau'r ganrif ym medydd dau o ieuenctid Eglwys Llanfair. Bedyddiwyd Bethan a Geraint, merch a mab Ceri a Meinir Lloyd Lewis, Llanfair, Harlech yn afon Artro gan y Parchedig James Dole. Ar y pnawn braf hwnnw criw bychan – ond dethol, gobeithio – oeddem yn gwylio. Dros y blynyddoedd bu Bethan a Geraint yn ffyddlon iawn i'r oedfaon yng Nghaersalem, Llanfair a hynny mewn cyfnod pan oedd ieuenctid yn troi cefn ar yr Eglwys. Mae Bethan bellach yn briod ac yn byw yn ardal Llandeilo.

Ydy, mae amser wedi erydu llawer ar ddefodau'r tadau ond mae rhyw apel arbennig yn aros o hyd o gylch Bedydd-yr-Awyr-Agored.

'DYLANWADAU'

Darlledwyd Gorffennaf 1995
fel rhan o'r gyfres *Dylanwadau*
ar Radio Cymru.

CYFOETH ARDAL

Unwaith y mae rhywun yn cyrraedd oed yr addewid mae ganddo'r drwydded i ddweud rhai pethau na feiddiodd eu dweud cyn hyn – efallai. Ond nid y cwbwl eto, ychwaith! Plentyn y dauddegau cynnar oeddwn i, yn ddwyflwydd oed pan fu farw nhad. Bob tro y gwela i gyfeiriad at farwolaeth tad neu fam cymharol ifanc mi fydda i'n falch o weld bod carreg fedd i'w chael. I ni fel teulu fe fu hynny'n fan pererindod dros y blynyddoedd ac yn gyfle i ddychwelyd at y teulu ar y Gororau, yn ardal Llansilin ger Croesoswallt. Ardal sydd, gyda llaw, hyd y presennol, yn parhau yn Gymraeg a Chymreig ei naws.

O sôn am fy nhad, rhaid dweud ei fod mor real i mi heddiw ag erioed, os nad yn fwy felly. O'r cychwyn cynta roedd gen i arlliw o gof o gysgod rhywun gweddol dal, mewn dillad tywyll, yn gwyro drosof – ac i mi fy nhad oedd y cysgod hwnnw! Roedd gan Mam stori amdana i yn yr ardd efo Nhad a bod robin goch wedi dod heibio ac i minna ddweud: 'Mae o *wedi* dwad!' Aeth fy nhad â mi i'r tŷ ar hynny a dweud: 'Allwn ni ddim gneud heb hon!' Ysywaeth fe fu raid i ni wneud hebddo fo ymhen ychydig fisoedd wedi hynny. Rhyw friwsion bach o sylwadau felna oedd yn cael eu trosglwyddo i ni. Eto, roedd yn dda cael dal arnyn nhw. Mae hyn yn arwain at y ffaith bod ymdeimlad o golled wedi setlo yn fy ymwybyddiaeth o'r cychwyn cynta. Allai teulu ddim cuddio gofid o'r natur yna.

Fe ddaeth fy mam, fy chwaer, a minnau at fy nain yng nghanol Ardudwy, a byd digon tlawd oedd hi arnom ni. Fy mam yn wan ei hiechyd a rhaid oedd dibynnu ar garedigrwydd teulu. F'ofn penna i yn fy ieuenctid oedd i rywbeth ddigwydd i fy mam ac i minnau orfod byw efo fy nain, ond fe fu fy mam byw i oedran teg. Ond Ow! y fath gyfoeth oedd yna i blentyn bach yn Ardudwy ar y pryd!

Cenhedlaeth fy nain oedd teuluoedd y ffermydd o gylch – yng Nghrafnant, Dolbebin, a'r Coed, a'r cwbwl ohonyn nhw yn blant chwedegau a saithdegau y bedwaredd ganrif ar bymtheg. Doedd odid ddim wedi newid o'r môr ym Mochras – *Shell Island* y Saeson – hyd at y Rhinogydd a'r *Roman Steps*, fel y galwem y Grisiau rhyfeddol rhyngom ac ardal y Traws. Afon Artro yn rhedeg heibio i lwybr cefn-tŷ fy nain ym Mhenybont ac yn wastad yn ein clustiau. Y coed yn drwchus bob cam i fyny'r Cwm o bentre Llanbedr, y pentre tlws y gŵyr ymwelwyr â Chapel Salem o ddarlun Curnow Vosper amdano. O giât cefn tŷ fy nain gweld ochr Y Fron a thu hwnt yr oedd Mynydd y Moelfre yng ngwaelod Cwm Nantcol. Roedd gan fy nain rigwm am y Moelfre ac afon Artro yn cyfarch ei gilydd, a da dweud ei fod ar gael heddiw yn Sain Ffagan. Meddai'r Moelfre:

'Igam-ogam ble'r ei di?'
'Moel dy gorun waeth i ti!'

etyb yr afon yn ôl. Meddai'r mynydd moel wedyn – gan edliw i'r afon ei mynych droadau:

'Fe dyf gwallt ar fy mhen i
Cyn unioni o'th gamau ceimion di!'

Dieithriaid oedd pobl Cwm Nantcol i rai fel ni yn Uwch Artro ond roedd enwau'r ffermydd yn gyfarwydd serch hynny, ac mor wahanol eu natur rywfodd – Pwll y March; Gelli Bant; Cil Cychwyn a Maesygarnedd wrth gwrs, cartref yr enwog Gyrnol John Jones a fu'n rhannol gyfrifol am dorri pen y brenin Siarl y Cyntaf. Roedd gen i ryw deimlad o atgasedd at y gŵr o Faesygarnedd ac at ei frawd-yng-nghyfraith Olifer Cromwel hefyd.

Yr hyn rwy'n ceisio'i ddweud yw bod yma Hanes efo llythyren fawr o'r cychwyn cynta, a hwnnw wedi gwreiddio yn y cyfansoddiad. Doedd Uwch Artro wedi newid odid ddim dros y canrifoedd ac o ganlyniad doedd hi ddim yn anodd i mi daflu fy hunan i fywyd yr Oesoedd Canol heb sôn am yr wythfed a'r nawfed ganrif.

O sôn am Hanes, rwy'n cofio mynd efo fy hoff ewythr ar bnawn Sadwrn yn niwedd haf i dorri rhedyn yn y Gerddi Bluog o bobman – digon prin fy mod i yn torri rhedyn serch hynny. Roedd yna ryw barch mawr yng nghyfnod fy mhlentyndod i yn aros at yr Archddiacon Edmwnd Prys a hynny'n profi ei gyswllt agos â'r ardal. Yn y gyfrol *Cartrefi Cymru* gan O. M. Edwards fe geir darlun o dabled sydd o hyd ar dalcen un o'r tai-allan yn y Gerddi Bluog yn cofnodi'r geiriau:

> Morgan Prys
> HYDREF : : 31
> 1728 : W.H.
> Pen. : Saur

Tua 1992 fe es i ati i ddechrau ysgrifennu dyddiadur dychmygol merch-yng-nghyfraith yr Archddiacon Edmwnd Prys – sef Elizabeth, merch Maesyneuadd gerllaw plasty Glyn Cywarch – a briododd â Morgan, un o feibion yr Archddiacon yn 1602 drwy drefniant yr Archddiacon ei hun. Golygai hyn gysylltiad Edmwnd Prys â'r Gerddi Bluog am ugain mlynedd olaf ei oes. Fe fyddai cychwyn dyddiadur yn 1617 yn gosod yr amser bedair blynedd cyn cyhoeddi'r Salmau Cân, a rhyw chwe blynedd cyn marwolaeth Edmwnd Prys ei hun. Mae yma draddodiad cryf yn yr ardal i'r Archddiacon fod yn ymarfer ei Salmau Cân yn eglwys Llanenddwyn yn Nyffryn Ardudwy yn ogystal ag yn eglwys Llandanwg wrth y môr.

O sôn am hen eglwys Llandanwg, yno wrth dalcen dwyreiniol yr eglwys y mae bedd yr hen fardd Siôn Phylip, yr olaf o feirdd yr Uchelwyr o bosibl. Mae'r dyddiad ar y garreg yn rhy gynnar, gyda llaw, oblegid rai blynyddoedd cyn marwolaeth yr Archddiacon y bu o farw. Ar y garreg mae geiriau a briodolir i Huw Llwyd, Cynfal:

> Yma huno mae henwr...
>
> Cwynwn fynd athro canu
> I garchar y ddaiar ddu.

Rhwng popeth roedd Hanes yr ardal wedi gwreiddio yng nghyfansoddiad fy chwaer a minnau o'r cychwyn cyntaf er na chlywsom air am y peth yn yr ysgol. Diwylliant ardal oedd yn cynnal y cyfan. Pan fyddaf yn ôl yn yr hen gartre yn Llanfair, Harlech byddaf yn ddyddiol yn edrych allan drwy ffenestr y llofft ar hen gartre Siôn Phylip ym Mochras ac ar hen eglwys Llandanwg. Does ond gobeithio nad aiff y cyfoeth diwylliant yma i'w golli i'r genhedlaeth nesaf. Roedd y Gymraeg a glywais i yn Ardudwy yn rhywiog iach ac yn llawn o ymadroddion cefn gwlad.

TYLWYTH A GWLAD

Rydw i'n brysio i ddweud bod yna rywbeth cyfriniol iawn o gwmpas yr ardal yma yn Ardudwy ac mae hwnnw hefyd wedi gafael. Yn y blynyddoedd cynnar hyn byd llafar oedd o; doedd dim llyfr ar fy nghyfyl. Roedd llyfrau fy nhad a'n holl eiddo wedi'u storio mewn sied ym mhentre Llanbedr am bum mlynedd, hyd nes fy mod yn wyth oed. Yr unig gof sydd gen i am yr hanner blwyddyn dreuliais yn Ysgol y Cyngor, Llanbedr yw am f'ewythr yn reidio beic i lawr Rhiw Llety – rhiw digon serth ac yn cario tair ohonom ar y beic hwnnw. Peidied neb â gofyn sut y bu i ni gael ein cadw'n ddianaf ond felly y bu! Roedd y siwrnai yn bell i'r ysgol i blentyn pumlwydd a'r ffordd yn unig.

Tu hwnt i'r coed ar Riw Llety y byddwn i'n clywed sŵn y dyfrgi o afon Artro. O! roedd hi'n wlad hardd, ac yn dal i fod felly ond ei bod wedi'i di-boblogi i raddau heddiw. Cofio croesi Parc Dolbebin ar Suliau braf yn yr haf heibio i hen fwthyn Werncrai i gapel Salem. Yn y gaeaf dringo'r ffordd wledig wrth olau lantern a gwybod lle roedd polyn pob llidiart-terfyn a fedrai droi'n fwgan.

Ond sôn yr oeddwn i am y rhywbeth 'cyfrin' yna oedd wedi dechrau gafael. Fe garwn i bwysleisio mai ar adegau prin, ie prin iawn, y teimlais i ryw 'Ymyrraeth' os mai dyna'r term priodol; y rhywbeth 'y tu hwnt' os mynner.

Haf yn niwedd Awst oedd hi yn nechrau'r tridegau yn nhŷ fy nain. Y bore arbennig hwn fe ddaeth llythyr oddi wrth f'ewythr – fy hoff ewythr – o ysbyty yn y Gororau yn dweud iddo gael triniaeth *appendicitis*. Doedd dim awgrym o berygl, a allai ddigwydd, yn y llythyr hwnnw.

Cyn noswylio y noson honno roedd fy nain a fy mam, yn ôl arferiad y blynyddoedd, yn darllen o'r Beibl ac yn cael gweddi fechan. Yn sydyn fe ddaeth sŵn fel sŵn troedio o'r llofft fach uwch ben ac mewn munud o syfrdandod peidiodd popeth! Ar fyrder dringodd fy mam i fyny'r grisiau cerrig yn cario cannwyll yn ei llaw ond doedd dim gweladwy yn unman. Cysgu efo fy nain y oeddwn i yn y llofft yn wynebu'r ffordd fawr ac ymhen peth amser dyma ddeffro i sŵn cerrig mân yn cael eu lluchio ar wydr y ffenest. Plisman o Harlech oedd wedi cyrraedd efo *cablegram*, fel y'i gelwid yn y dyddiau hynny, a'r newydd bod f'ewythr yn ddifrifol wael yn nhref y Gororau. Chwalwyd y neges i'r teulu yn yr oriau mân ac ymadawodd fy nain a fy mam am y Gororau. Rwy'n sicr i'r *cablegram* gychwyn ar ei daith yr union foment y clywyd sŵn y troedio yn y llofft uwch ben.

Ymhen chwech wythnos arall dychwelodd fy nain a fy mam, ac erbyn hyn roedd f'ewythr yn rhyw ddechrau gwella. A dyna filltir arall yn y profiad. Fe gredodd mam i'r diwedd mai gweddi a'i cadwodd yn fyw. Un felna oedd mam, yn berchen ar ffydd gref. Er gwaetha pob colled roedd geiriau'r Salmydd yn gynhaliaeth iddi – 'Amgylchynaist fi yn ôl ac ymlaen a gosodaist dy law arnaf. Dyma wybodaeth ry ryfedd i mi.'

Erbyn diwedd y dauddegau roeddem ni wedi symud i Lanfair ger Harlech, eto yn Ardudwy, pan gafodd fy mam adnewyddiad iechyd a chael swydd a elwid y pryd hynny fel *Supplementary Teacher* efo'r Babanod yn yr ysgol yno, ymhell i fyny ar y ffriddoedd. Ymyrraeth Rhagluniaeth eto, meddai hi, pan oedd y byd yn torri'n ddarnau mân o'i chylch, ond brysiaf i ddweud mai isel iawn, iawn oedd y cyflog.

Am dair blynedd buom yn byw mewn tŷ ymwelwyr haf, a'r dodrefn a llyfrau fy nhad wedi'u storio. Medrech grafu'r tamprwydd oddi ar gefn yr *oil-cloth*, a'r tamprwydd yn drwch dros y pethau oedd mor werthfawr gynt. Y piano oedd yr unig ddodrefnyn y caniateid i ni ei gael yn y tŷ-haf ond rhaid oedd cario hwnnw allan i dŷ cymydog bob gwyliau haf. Ond tŷ-haf neu beidio, roeddwn i wrth fy modd yno.

Roedd digon o le i chwarae ar y ffriddoedd yng nghysgod hen fwthyn Carleg Coch sy'n furddun ers llawer blwyddyn. Dyma'r bwthyn a anfarwolwyd yn y gerdd 'Diwrnod Marchnad', a hwn oedd cartre y ddau frawd Owain a William Siôn o'r darlun *Salem*. Mae'n debyg bod Curnow Vosper, yr artist, yn aros ym mhentre Llanfair yn haf 1908 ac oddi yno y cafwyd pedwar o gymeriadau'r darlun. Ychydig o lathenni oddi wrth y tŷ-haf lle trigem roedd Ty'n y Buarth, cartre y 'Laura fwyn ei thôn' y cyfeirir ati yn y soned 'Salem'. Laura Williams oedd yn gwerthu paraffin i ni ac yn tendio arnom adeg y ffliw neu'r Frech Goch. Ychydig yn uwch na Thy'n y Buarth yr oedd bwthyn 'Ffordd Groes' a thylwyth 'Siân Owen' yn dal i fyw yno bryd hynny. Fe symudodd yr hen wraig o 'Dy'n y Fawnog' ar adeg y lli mawr mae'n debyg. Mae gen i yn fy meddiant ddarlun bychan mewn du a gwyn o *Salem* – sef yr anrheg a roes Curnow Vosper i'm tad am gael yr hawl i ddefnyddio'r Capel. Fy nhad oedd y gweinidog yno bryd hynny.

O sôn am fy nhad fe fyddem ni'n ffoi am y Gororau bob haf, ac unwaith y byddem yn cyrraedd y Berwyn fe fyddai'r ymdeimlad cyfrin yna'n dechrau gafael eto. Siwrnai drên o'r Bermo a thrwy Lanuwchllyn ac unwaith y byddem yn cyrraedd y fan honno rhuthrem am y ffenest i weld Coed-y-Pry ar y naill law a'r Neuadd Wen ar y llall. Treulio wythnos yng Nghynwyd a dotio at lyfnder y Ddyfrdwy o dan bont Corwen. Fe drowyd fy nhaid o ochr fy nhad allan o'r fferm, Trewyn Fawr, Corwen adeg yr Etholiad yn wythdegau'r ganrif o'r blaen gan y sgweier Wyn, Rug am iddo bleidleisio i'r Rhyddfrydwyr. Fe fûm innau'n dipyn o brotestwraig gydol fy mlynyddoedd ac fe drodd Rhyddfrydiaeth y teulu i gyfeiriad Cenedlaetholdeb erbyn canol y ganrif hon.

Gwlad Owain Glyndŵr wedyn, drwy Garrog a Glyndyfrdwy. Rwy'n cofio cael tynnu fy llun ar garreg fedd Iolo Goch yn Abaty Glyn-y-Groes. Yna cyrraedd Paradwys oedd dod i Groesoswallt – Syswallt i Gymry'r Gororau. Roedd diwrnod marchnad yn y dref hon yn rhywbeth rhyfeddol a Chymraeg pobl Llanrhaeadr-ym-Mochnant, Llansilin a'r Rhiwlas i'w glywed hyd y strydoedd. Yn ddiweddar wrth ysgrifennu am Lywelyn ap Gruffudd yn hanner olaf y drydedd ganrif ar ddeg dyna wefr a ges i ddilyn glannau'r Hafren ac ymweld â'r hen gaer yn Nolforwyn. Mae rhin arbennig yn y rhan yna o Gymru o Ystrad Marchell i Abaty Cwmhir. Fe alla' i ymffrostio yn y ffaith bod achau'r teulu yn ymestyn ganrifoedd yn ôl yng ngogledd Powys – ond ddweda i ddim mwy heddiw.

Roedd fy mryd i unwaith hefyd ar ysgrifennu am Owain Glyndŵr ond bellach fe gerddodd y blynyddoedd ymhell. Yn anffodus mae ystod blynyddoedd Glyndŵr yn gyfyng a'r cefndir yn llwythog o ffeithiau.

Ond yn sicr, rywdro tua diwedd y dauddegau a dechrau'r tridegau y cychwynnodd fy niddordeb mawr yn y Gororau. Fe deimlais yr union ias honno wrth ysgrifennu'n ddiweddar am gwymp y gaer yn Nolforwyn, pan welodd hogiau dewr Powys yr haul yn machlud dros y gaer honno mor greulon o gynnar.

LLENORION AC ACADEMWYR

Môr a mynydd, ton ac eithin,
Dyfnfor glas dan lethrau'r wŷn.

Pam y dyfyniad yna, meddech chi? Ryden ni yn nechrau'r tridegau, ac y mae Coleg Harlech wedi'i sefydlu o dan y Warden, Syr Ben Bowen Thomas, ac enwogion Cymru yn ymweld â'r ardal adeg Wythnos yr Ysgol Gymraeg bob haf. Ond pam y pennill? Roedd yr awdur, y bardd a'r nofelydd T. Rowland Hughes yn ddarlithydd yn y Coleg ac, ar Sul, Ebrill 24ain, 1932 fe ysgrifennodd y gerdd gyfan yn dechrau 'Môr a mynydd...' yn albwm fy chwaer a hynny mewn llawysgrifen gymen. Roedd hi'n hollol ffres mae'n siŵr gen i ac mae'r ddalen yma o werth arbennig. Doedden ni yn neb iddo fo a wyddem ninnau odid ddim amdano yntau. Mae gen i syniad mai ar foto-beic y daeth o – hwyrach fy mod yn cyfeiliorni – i gyrchu ei frawd-yng-nghyfraith y Parchedig Glyn Davies Jones oedd yn pregethu efo ni y Sul hwnnw. Boed hynny fel y bo, ond mae'r gerdd yn ddisgrifiad perffaith o'r olygfa ar y tro sy'n wynebu Harlech – y Bae hyd at Fraich y Pwll; Penrhyn Llŷn i'r chwith a'r Wyddfa i'r dde. Mae hi'n broses ddwyffordd mewn gwirionedd. Wrth ddod i Ardudwy fe roes T. Rowland Hughes y darlun *Salem* ar fap y genedl ond fe dybia i iddo gael llawer o ysbrydoliaeth yn yr ardal yn y cyfnod hwnnw i nifer o'i gerddi yn y gyfrol *Cân neu Ddwy*. Mae'n sôn am 'y machlud dros Benrhyn Llŷn': o'i gartre uwch ben y môr bryd hynny fe gâi fachlud bendigedig dros Fôr Iwerddon.

Wedi darganfod i'r gŵr mawr ysgrifennu yn Albwm fy chwaer dyma chwilota rhwng breuder tudalennau hen Albwm i weld a oedd rhyw neges i minnau. Ac yn wir dyma ddarganfod dau ddyfyniad yn ei lawysgrifen – mewn Saesneg, os gwelwch yn dda! Roedd cael golwg ar y ddwy blethen drom o wallt oedd gen i wedi taflu rhyw wedd academig arna i yn sicr! Y dyfyniad cyntaf gan G. K. Chesterton – 'If anything is worth doing at all, it is worth doing badly.' Fe fûm i'n pendroni am hydoedd uwch ben y ddau air 'doing badly' yn y cyswllt hwn ac i feddwl mai T. Rowland Hughes oedd perchen y llawysgrif honno! Mae'r ail ddyfyniad o waith Goethe. Nid yn unig y mae her yn y neges ond mae o hefyd yn adlewyrchiad o ymroddiad ac ymdrech yr awdur T. Rowland Hughes: 'Time is a vessel into which a great deal may be poured if only one would fill it up'. Defnyn o dywod ar draeth amser i'w drysori am byth!

Dyma wlad Ellis Wynne, y Bardd Cwsg hefyd ac fe droediodd y llwybrau yma rai cannoedd o weithiau rhwng y Las Ynys ac eglwys Llandanwg i ddechrau, ac yna eglwys Llanfair. Yn nechrau'r tri degau roedd y gwŷr mawr ogylch y lle yn nathliad dau can mlynedd marw Ellis Wynne.

Fe gofia i'n arbennig am ddydd o eira trwm pan oedd rheilffordd y Cambrian ar gau a'r ysgol yn y Bermo yr un pryd. Cofio cerdded rhwng y coed yw at ddrws eglwys Llanfair a'r clystyrau eira fel lanterni yn disgyn o'r coed. Roedd Hanes rywfodd ymhob cornel lle teithiem. Yn ddiweddarach byddai'r anfarwol Bob Owen, Croesor yn galw ac yn ein tywys i blasau uchelwyr Ardudwy megis Maesyneuadd.

Y tridegau oedd cyfnod Ysgol Sir y Bermo ac yno fe ges i athro Hanes ardderchog iawn yn y Prifathro E. Pugh Parry a darganfod rhyfeddod 'gwledydd Cred' am y tro cyntaf. Fe ddaeth hyn yn gefndir i sawl ymchwil wedyn fel hanes Urdd y Sistersiaid yn *Lleian Llan Llŷr*; y cefndir Catholig yn y *Dyddiadur* yn ymwneud â Robert Gwyn, y Catholig alltud o Ben Llŷn; hanes y Crwsadau a chefndir Ffrainc yn oes y Tywysogion. Yn Ysgol y Bermo hefyd byddai Aneurin Owen, yr athro Cymraeg yn gwneud i ni ddysgu darnau o ryddiaith ar y cof. Tybed ai hyn a ddylanwadodd ar ddull rhywun o ysgrifennu neu ar yr arddull bondigrybwyll? Mae'r cwestiwn arddull yma yn codi'i ben yn wastad bob tro y bydd rhywun am fy nal mewn cornel gan wneud i mi deimlo fel yr Apostol Paul gyda rhyw swmbwl yn y cnawd. Mae'r peth erbyn heddiw yn destun tipyn o wên i mi gan fod yr arddull fel anadlu ac na fedrwch wahanu'r awdur a'i arddull. Beth fyddai wedi digwydd pe bawn wedi ysgrifennu *Fy Hen Lyfr Cownt* yn ymwneud ag Ann Griffiths, mewn rhyw Gymraeg bwngleraidd? Mae un peth yn gysur i mi gan fod yr Athro Ifor Williams, yn fy nhyst-lythyr Coleg, wedi rhoi sylw arbennig i'r arddull, mewn cyfnod na wyddwn i fy mod yn berchen ar y fath beth. Ac yna, dyna'r di-gymar Athro Thomas Parry, yn y Coleg ym Mangor yn warchodwr arbennig iawn. Wrth i mi adael y Coleg fe gynigiodd destun ymchwil imi ar ŵr llên o Ardudwy. Fe wrthodais – anodd rhoi unrhyw esboniad heddiw ar y peth – ac fe aeth fy mam o'r byd yma heb wybod dim am hynny. Yn ddiweddarach fe ges fy nhywys mewn gwaith ymchwil gan yr academydd disglair y Dr J. E. Caerwyn Williams, – gŵr na ŵyr y Gymru bresennol hanner digon amdano.

Ym Mangor yn y pedwardegau hefyd yr oedd y diddorol Athro R. T. Jenkins. Yn y ddarlith Hanes Cymru, byddai'n cerdded yn ôl ac ymlaen gyda thrwch gwadnau ei sgidiau yn gwichian a phob tro y soniai am y 'Gwladus Ddu' honno yn hanes y tywysogion fe gyfeiriai'n chwareus at 'Gladice' a gadwai siop ddillad merched yn Harlech.

Hyn sy'n dod â ni at y llyfr *Yr Apêl at Hanes* a'r bennod gan yr Athro yn dwyn y teitl 'Clywed yr hyfrydlais'. Testun y bregeth yn un o gapeli Harlech ar y Sul yn ystod Ysgol Haf Gymraeg y Coleg oedd yr adnod 'Gwyn fyd y bobl o adwaenant yr hyfrydlais.' Ni ellir cael dim gwell, meddai, i gyfleu ei brofiad yn ystod yr wythnos honno. Yn Ardudwy cafodd harddwch natur ynghyd â mawredd dynion fel Huw Llwyd a Morgan Llwyd ymhlith eraill. Roedd yr Athro yn arfaethu mynd ar daith i Ffrainc wedyn, ond meddai: 'Yn Harlech y clywais i'r hyfrydlais'.

Yn union wedi gadael y Coleg, yng nghanol y pedwardegau, fe deflais innau fy hunan i fyd o arbrofi heb unrhyw brawf y byddwn yn llwyddo. Roedd yr Athro Thomas Parry wedi rhoi cyngor i mi yn ei fodd dethol ei hun: 'Os am ysgrifennu, dewiswch rhwng barddoniaeth a rhyddiaith' – mewn geiriau eraill, peidiwch â chymysgu'r ddau.

Mewn tŷ-lodging yr oeddwn i ac yn y stafell nesaf yr oedd pedwar o bobl yn ymarfer Cerdd Dant at yr Eisteddfod

Genedlaethol. Yn fy nwbl yr oeddwn yn y parlwr yn dechrau ysgrifennu nofel mewn llawysgrifen – nofel am fywyd cefn gwlad. Pwy oeddwn i yn ei hefelychu tybed? Wel, yr hynaws Elena Puw Morgan hefo'i hysgrifennu clir a glân.

Ymhen rhai blynyddoedd roedd cystadleuaeth yn Eisteddfod Genedlaethol Aberystwyth ar Nofel Fer yn ymwneud â bywyd cefn gwlad, o dan feirniadaeth Tom Hughes Jones. Sioc ryfedda oedd cael fy ngalw ymlaen yn y Babell Lên, a minnau yn bur flêr fy ngwisgiad! 'Torri Cwys' oedd testun y nofel a 'Rhuddin' oedd y ffug-enw. Hon oedd y nofel orau o'r wyth oedd yn y gystadleuaeth, ond yr oedd yno wallau: 'cymeriad eiddil', 'llacrwydd mewn rhai mannau' a 'trefnu rhy slic'. Ond y mae un peth wedi'm plesio'n arw o edrych ar y feirniadaeth heddiw. Dwedwyd bod yr *ardal* ei hun yn fwy na chefndir yn y gwaith – 'Y mae'n un o'r cymeriadau, neu'n nifer o gymeriadau. Y mae Moel y Glomen yn fwy na lle; y mae'n berson a'i gysgod ar yr ardalwyr.'

Yn fferm Dolbebin yng nghanol Ardudwy y lleolwyd y gwaith; ym Mharc Dolbebin yr oedd carafan y sipsiwn – dylanwad Elena Puw Morgan eto. Mynydd y Moelfre oedd Moel y Glomen. Wedi dweud hyn rwy'n sobr o falch na chyhoeddwyd y gwaith ond ar yr un pryd yn ddyledus i'r beirniad Tom Hughes Jones am ddangos trywydd y ffordd i mi.

BLAS AR AWDURON

Yn y pumdegau nefoedd o beth oedd cael fy hun yn Nyffryn Clwyd, a hynny am gyfnod o bymtheng mlynedd. Gwlad dirion gyfoethog yn llawn o blasau uchelwyr. Yr hynaws Brifathro Bleddyn Lloyd Griffith yn Ysgol Brynhyfryd a'r plant yn gyfeillgar o bentrefi fel Clocaenog a Chyffylliog, Llanarmon a Llandegla yn Iâl, Pentrecelyn a Gellifor ar lawr y Dyffryn. Y cyfnod pan oedd *Baner ac Amserau Cymru* yn frenin y papurau Cymraeg wythnosol ac 'Ysgrifau Dydd Mercher' Saunders Lewis yn ymddangos. Yr arbennig Gwilym R. Jones a Mathonwy Hughes, wrth gwrs, yng Ngwasg Gee yn cymell ac yn gwerthfawrogi a dyma'r cyfnod o wir fraenaru yn y broses o ysgrifennu.

Cyfnod yr anturio hefyd a cherdded y mynyddoedd efo *haversack* ar y cefn. Mentro i fyny'r Wyddfa mewn storm gan gydio yn y cledrau i gael ein hunain i lawr wedi saith awr ar y mynydd. Fe chwythwyd fy nghap a'm menyg dros Glogwyn Du'r Arddu i'r cwm a elwir, mae'n debyg, yn Cwm yr Hetiau neu ryw enw cyffelyb. Wedi inni gyrraedd Half Way House, fe ddwedodd fy ffrind: 'Dyna ni wedi'n cadw i *rywbeth.*'

Taith arall i Enlli a chael ein dal yn Y Swnt pan oedd y 'dŵr yn berwi' a bad achub Pwllheli yn barod i ddod allan i'n hachub. Yn Ysbyty Y Rhyl yr oeddwn i yn ddigon gwael pan ges i gydradd cyntaf am y Stori Fer gan y beirniad D. J. Williams, Abergwaun. Roedd fy ffrind Gwyneth Williams, bryd hynny o Goedpoeth, a minnau wedi trefnu i ffawd-heglu i Ystradgynlais. Prin y mentrai neb feddwl am wneud peth felly heddiw ar ffyrdd Cymru!

Y peth pwysig yn y busnes o ysgrifennu i mi yn y pumdegau oedd pori yng ngwaith artistiaid, yn enwedig yn yr iaith Saesneg. Wn i ddim ar y ddaear beth ddaeth â mi at yr awdur D. H. Lawrence. Doedd *Lady Chatterley's Lover* ddim ar gael yn y siopau bryd hynny. Yn y Gymraeg roedd

127

sôn am y ffurf 'Y Stori Fer Hir', gyda Tom Hughes Jones yn arloeswr. Efallai mai dyna fyddai'r diffiniad o storïau D. H. Lawrence – er enghraifft, *The Woman Who rode Away and Other Stories*. Storïau nid anorffenedig ond di-orffenedig efallai, a di-bendraw am mai felly y dylen nhw fod.

Yr elfen esoterig oedd yn fy nenu bryd hynny, y synwyrusrwydd prin-gyffwrdd yn troi ogylch delweddau arbennig. Mae'r 'haul' yn ddelwedd bwysig i D. H. Lawrence – a hwnnw aeth â gwraig arbennig yn un o'i storïau i geisio dod i dermau â'i hanniddigrwydd yn un o wledydd yr haul. Dyma ddyfyniad sy'n berthnasol yn y cyswllt hwn:

> *Every day in the morning towards noon, she lay at the foot of the powerful silver-pawed cypress tree while the sun rode jovial in heaven. By now she knew the sun in every thread of her body. There was not a cold shadow left... She knew the sun in heaven, blue-molten with its white fire edges throwing off fire.*

Ymhen yn agos i ddeng mlynedd ar hugain wedyn roeddwn i'n ysgrifennu'r nofel *Eryr Pengwern* ac yn disgrifio'r ferch Ethne ar lan afon Gwefrddwr yr Hen Ganu:

> A phan oedd yr haf yn dechrau poethi a'i gwaed yn fwrlwm o'i mewn, fe ddechreuodd hithau redeg i lawr at afon Gwefrddwr islaw'r Clas. Yn y fan honno roedd y dŵr mor llyfn ac mor loyw fel y gallai Ethne weld ei hadlewyrchiad ei hun yng ngwely'r afon. Bob bore fel yr oedd y gwres yn codi a haul canol dydd yn tynnu tua'i anterth, byddai Ethne yn trochi'i gwallt yn nŵr yr afon... Edrychai hithau i ddŵr yr afon a gwylio'i llun yng ngwely'r afon... Siglai'i chorff yn ôl ac ymlaen yn y dyfroedd gan brin gyffwrdd y graean oddi tano... Cyffyrddai ei phen â bonion y brwyn wrth y lan gan gosi gwraidd ei gwallt ac wedyn fe ddôi haul canol dydd i fyseddu'i thraed... Meddiennid hi'n llwyr gan yr haul. Ef oedd ei Meistr a phan fyddai'r haul wedi cyrraedd ei anterth, fe ddechreuai gilio'n betrus drach ei gefn gan adael y mân gysgodion yn y dŵr... Yr oedd y cynnwrf drosodd.

Y mae diferion y dŵr o'i gwallt yn disgyn wrth ei thraed. Iddi hi, hwy oedd dagrau duwies yr afon ac meddai hithau: 'O! Dduwies yr afon na wrthyd fi am i'r haul edrych arnaf.' Mae dwy ddelwedd yma, sef yr haul a'r afon. Doeddwn i ddim yn ymwybodol yn dynwared D. H. Lawrence!

Yn yr un cyfnod fe ges i fy nhynnu at y bardd ifanc, Wilfred Owen, a gollodd ei fywyd bron ar ddiwedd y Rhyfel Byd Cyntaf. Roedd ganddo gyswllt â thref Croesoswallt a'i dad yn orsaf-feistr ar y Gororau a hynny'n cryfhau fy niddordeb ynddo. Roeddwn i wedi darllen ei lythyrau adre at ei fam fwy nag unwaith. Dyma fo yn disgrifio maes brwydr:

> *The slumber of men, morbid and terrifying, muttering uneasily, crying. The stampede at night... the dusky grandeur of evening and the steep slope frozen alive with dead men for comfort... the cries of soldiers tossing in tortured sleep; men made sightless... the thick green odour of breath... of cough.*

Yn y nofel *Eryr Pengwern* roeddwn innau'n ceisio cyfleu profiad milwr, megis Cynddylan ar faes brwydr:

> Y nos oedd waethaf pan fyddai'r ddaear yn llonydd wedi artaith y dydd. Bryd hynny, nid oedd y cyrff wedi llawn oeri a dôi sŵn crawcian yr aderyn ysglyfaeth yn blaen-llymu'i ylflïn i wledda... Cysgai gwŷr yn anniddig am fod aroglau'r marw gerllaw iddynt... Ond cwynfan y clwyfedig oedd waethaf... A phan deflid i fyny'r gwyrddni o'r ymysgaroedd fe fyddai'r anadl yn ffiaidd.

Mae'n ddiddorol fel y mae meddyliau un awdur yn dylanwadu ar arall ac fe ellid rhoi nifer o enghreifftiau cyffelyb o'r peth yn sicr. Mae'n digwydd mewn gwahanol gyfnodau gan ddibynnu ar yr hyn y mae dyn yn ei ysgrifennu.

Hefyd mae rhyw atyniad mawr wedi bod i mi yn swyddogaeth march mewn rhyfel. Rwy'n cofio oes y ceffyl a throl, a'r gweision ffermydd yn gadael sachau blawd ar stepan isaf grisiau cerrig fy nain i'r cymdogion eu casglu. Oes y ferlen a'r trap a sŵn tuthio ysgafn y gaseg ar ffordd y wlad. Roedd yna arogl arbennig o gwmpas y march, yn wahanol i bob arogl arall. Dyna a gofiaf yn fferm f'ewythr ger Croesoswallt pan fyddai John Owens y gwas yn tywys y ddau geffyl i'r stabal.

Wrth ysgrifennu am gyfnod y Tywysogion, yn arbennig felly am Lywelyn ap Gruffudd, yr oedd yna ddigon o gyfle i sôn am ryfela. Fe ofynnodd un wraig i mi pam yr oeddwn yn mynnu ysgrifennu mor 'arw' wrth gyfeirio at frwydrau. Er enghraifft, wrth ddisgrifio'r Cymry yn ymosod ar y Saeson ar lan y Fenai mae yna sôn am 'ddeifio carnau meirch'; y 'gwalch brenin'; y 'coelcerthi'n wenfflam' a'r mwg yn 'llosgi llygaid y meirch'. Mae sôn hefyd am y dull o ryfela yng ngwledydd Cred mewn mannau fel Savoy, Fflandrys a Gasgwyn. Credaf ei bod hi'n ofynnol chwilota'n drwyadl mewn llyfrau hanes cyn mynd ati i gyfansoddi nofel hanes.

'Y LLIW SYDD YN Y GORLLEWIN!'

Fe ddwedais ar ddechrau'r sgyrsiau hyn y byddwn yn addef rhai pethau wrth fynd yn hŷn ac y mae trobwyntiau yn digwydd ym mywyd llawer ohonom. Mi alla i wrando am amser hir ar bobl a'u trafferthion. Fe ges i lawer o hynny efo myfyrwyr ifanc, a rhai hŷn oedd ar waith Addysg Bellach, ac yr oedden nhw yn werth y byd i gyd. Ond prin y medra i, hyd yn oed hefo'm ffrindiau agosaf, ddweud fy meddyliau personol a hynny rhag i rywun, yn hollol ddamweiniol, ddweud rhywbeth a allai fy mrifo. Gwendid ynof fy hun yw hyn o bosibl. Fy mhrofiadau fy hunan sydd wedi mynnu gwthio eu ffordd i nifer o sefyllfoedd yr ysgrifennais amdanynt.

Blwyddyn gymysg ryfeddol oedd 1960, pan godwyd fi i'r uchelfannau wrth ennill y Fedal Ryddiaith yn Eisteddfod Caerdydd am Ddyddiadur Dychmygol yr emynyddes Ann Griffiths, ac yna mewn llai na mis cael fy lluchio i'r gwaelodion eithaf, gan aros yno am dair blynedd gron. Roedd y peth fel Tynged arna i a doedd dim ffoi rhagddo. Does dim ffoi rhag Angau.

Am naw mis o amser bûm yn bwrw fy ngofidiau mewn dau *gopy-book* ysgol yn nosweithiol cyn syrthio i gysgu. Cynhwyswyd llawer o'r deunydd wedi hynny mewn llyfr a ysgrifennais yn fuan wedyn.

Gall mai rhyfyg ar fy rhan yw cyfeirio at gerdd y bardd Gwenallt yn y cyswllt hwn, sef 'Y Grawys'. Sôn am y tridiau y mae rhwng y Croeshoeliad a'r Atgyfodiad. Taith tair *blynedd* oedd gen i yn fy meddwl. Dyma eiriau Gwenallt:

> Yn y Grawys bydd y Cristion
> Fel mewn trên yn myned i dwnel maith...
>
> Cadduglyd a hudduglyd
> Ydyw'r cerbyd ar wahân i un golau bach...

Anobaith ar wynebau
Wrth i'r trên saethu o'r twnel i'r ehangder gwyn...'

Ac meddai wedyn:

Y lliw sydd yn y gorllewin!

Geiriau gogoneddus yn wir. Mae'r 'golau bach' yno o hyd er
na welwn ef ac fe ddeuwn ni allan i'r 'ehangder gwyn'.
Darlun o Ddyffryn Mawddach sydd gen i bob amser wrth
ddarllen cerdd 'Y Grawys', a'r olygfa o Gader Idris a harbwr y
Bermo.

Wrth edrych dros ysgwydd y blynyddoedd mae'n rhaid i
mi gyfaddef mai'r profiad hwn a benderfynodd fy null o
ysgrifennu o hynny ymlaen.

Oni bai i ni gael ein hanesmwytho 'yn y tresi' ni byddai
unrhyw her yn ein bywyd.

Nid dweud yr wyf bod unrhyw werth parhaol yn yr hyn a
ysgrifennais, ond yn y Gymru bresennol byddaf yn edrych
arnaf fy hun weithiau fel yr hen 'Doli Pentreath' a gadwodd
ddolen fechan o'r Gernyweg yn fyw! Er gwaetha popeth
rwy'n dal i gredu bod Bywyd – efo llythyren fawr – yn
rhywbeth rhyfeddol iawn.

Soniais yn gynharach am apêl y Cyfrin ac am ambell i
brofiad a ddaeth i'm rhan. Digwyddodd yn arbennig yn y
saithdegau yn y cyfnod pan oeddwn yn ymwneud â mater yr
erledigaeth ar y Catholigion yn Oes Elisabeth y Cyntaf ac yn
benodol ymysg uchelwyr Llŷn ac Eifionydd. Fe gododd y
peth y fath ofn arna i nes bu raid imi roi heibio ceisio
treiddio i ddealltwriaeth o natur y dioddefaint. Gallwn sôn
am brofiadau ym mhlasau rhai o'r hen uchelwyr, ac am
glywed miwsig rhyfeddol organ yn un o eglwysi'r Gororau...

Bodlonaf, fodd bynnag, ar gyfeirio at ddarganfod llyfr
arbennig na wyddwn erioed amdano cyn hynny. Chwilio yr
oeddwn, yn fy hen gartre am rywbeth yn ymwneud â hanes y
môr-ladron yn Ynys Enlli, pan roddais fy llaw ar y gyfrol
hon: *The Autobiography of John Gerard, the Hunted Priest.*
Mae'n amlwg mai fy chwaer oedd wedi ei bwrcasu – oddi
mewn i'r clawr yr oedd enwau gorsafoedd trên yr hen G.W.R.

rhwng Glannau Meirion a Paddington. Hanner coron oedd ei bris.

Ond dyna gyfoeth o lyfr ydoedd! Cyfieithwyd ef o'r Lladin gan ŵr o'r enw Philip Caraman. Rhyfeddod mwy oedd canfod bod y Rhagair i'r llyfr o waith Graham Greene. Gan fy mod wedi darllen nofel fawr yr awdur olaf fwy nag unwaith – *The Power and the Glory* – ni allaf ond synio bod dylanwad y llyfr clawr meddal arno. Ar ddechrau nofel Graham Greene fe geir y dyfyniad hwn o waith Dryden:

> *Th'enclosure narrow'd, the sagacious power*
> *Of hounds and death drew nearer every hour.*

Dydw i ddim yn ddiwinydd nac yn athronydd, ond gydol fy mywyd bûm yn chwilio am y Gwirionedd – gyda G fawr eto – ac yn ceisio dal ar y sylwedd o'r tu hwnt i'r ffurf.

Roeddwn i'n credu yn fy ieuenctid y byddwn i wedi datrys Dirgelwch pethau cyn diwedd f'oes, ond fel y dwedodd ffrind wrthyf unwaith nid Dirgelwch fyddai o wedyn.

Dyma brofiad yr emynyddes Ann Griffiths yn y pennill hwn:

> O! am gael ffydd i edrych
> Gyda'r angylion fry
> I drefn yr iachawdwriaeth,
> Dirgelwch ynddo sy'.

Wrth ymhel â chefndir yr emynyddes fe ddeuthum o dan ddylanwad y diweddar Athro J. R. Jones. Dyma eiriau'r Athro:

> ...a phenllâd Bywyd yw bod pob dyn yn treiddio i gyfrinach ddofn ei undeb â Duw ac yn ei meddiannu.

Rwy'n sicr bod rhyw gyfrinach yn aros hefyd yn yr 'ehangder gwyn' y canodd Gwenallt amdano yn y gerdd 'Y Grawys'. Os na, fe fydd ffydd fy nhadau a phobl fel Pantycelyn yn ddiwerth hollol. A dyna fyd tlawd fyddai hwnnw heb y gwerthoedd hyn.

Fe all pobl gredu fy mod yn berson difrifol iawn, ond nid dyna'r gwir. Mae llawer o ddigrifwch plentynnaidd yn aros o hyd o dan yr wyneb, a diolch amdano!